それ、ネイティブ言わないよ！

日本人が間違えやすい英語表現100

100 English expressions which are easily mistaken by Japanese people

スティーブン・ミッチェル
Steven Mitchell

はじめに

　本書は、多くの日本人が間違えやすい英語表現100を集め、具体的な例を挙げながら、**ネイティブが使う自然な英語（Natural English）** を理解できるように解説しています。

　私はロサンゼルスで生まれ育ち、日本で20年以上にわたり、英会話スクール、企業の語学研修、および語学学校CHEERS において多くの日本人に英語を教えています。

　また、2004年から4年間、日本人の英語教員（中学校・高等学校）の研修会の運営に携わらせていただきました。

　これまで何千人もの生徒さん、教員の方々と出会い、授業を行い、私自身も日本の人々の考え方、日本の文化や言語について多くのことを学ぶことができました。

　英語のレッスンを通して、日本人の生徒さんが話す英語の中で、多くの人がつい間違えて使ってしまう表現、ネイティブにとって不自然な表現、文法的な誤り、発音の誤った強弱など、生徒さんたちに共通する間違いに気づきました。

　本書では、日本人の英語学習者によく見られる誤用の例を挙げています。読者の皆さんが本書を読み終えて、以下の4つの点について理解を深めていただけるように、内容を整理しました。

1. 自然な英語を使うこと
2. よくある間違いを避けること
3. つまずきやすい文法を理解すること
4. 適切な語に強勢を置くこと

　また、本書の1～100でそれぞれ載せているDrill（ドリル）もぜひやってみてください。問題を解いてみて、内容を理解できているかどうかを確認できます。巻末にDrillの答えを掲載しています。

　本書を通して、皆さんが自然な英語を話すことに理解を深め、スムーズな意思疎通のもと、交流のお役に立つことができれば幸いです。

スティーブン・ミッチェル

Contents

はじめに

間違えやすい動詞

知っておきたい文の読み方、言い方

日本人が間違えやすい英語表現

- 間違えやすい動詞

- 間違えやすい名詞

- 間違えやすい形容詞

- 「数量」「程度」を表す表現

- 「数字」の英語表現

- 「時制」の英語表現

- 間違えやすい疑問詞、助動詞

- 「時」「場所」を表す表現

- 間違えやすい前置詞、接続詞、冠詞

- 知っておきたい文の読み方、言い方

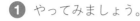

日本人のEnglish

1 やってみましょう。

Let's challenge.

　日本人の多くの方は「やってみましょう」を英語でよく**"Let's challenge."**と言います。この場合、challengeは動詞として用いられています。

　英語を母国語として話す人々（ネイティブ）はchallengeをどのように使うと思いますか？

　ネイティブにとって動詞challengeは「誰かと競うこと」を意味します。

例　**I challenge you to a race.**
　　（僕は試合で君と競う）
　　I challenge you to a game of chess.
　　（私はチェスの試合であなたに挑む）

　これらの意味は、日本人がよく言う**"Let's challenge."**とは違いますね。

　英語では、形容詞challenging、名詞challengeを用いるのが自然な表現です。

例　**Climbing Mount Everest is very challenging.**
　　（エベレスト山に登ることは挑戦しがいのあることだ）
　　ここではchallengingは形容詞として使われています。

　　Climbing Mount Everest is a big challenge.
　　（エベレスト山に登ることは大きな挑戦だ）
　　ここではchallengeは名詞として使われています。

❶の「やってみましょう」は、英語では**"Let's challenge."**ではなく、"Let's try."と言うようにしましょう。

Let's try to do this exercise.
(この課題をやってみよう)

The homework looks hard, but let's try it anyway.
(宿題は難しそうだけど、とにかくやってみよう)

Let's try to speak only English today.
(今日は英語のみを話すようにしてみましょう)

ネイティブのNatural English

Let's try. ⭕

(やってみましょう)

Drill ❶

次の英文を自然な英文にしましょう。

❶ 宿題をやってみましょう。
Let's challenge the homework.

_____

❷ 私はスペイン語を習ってみたいです。
I want to challenge learning Spanish.

_____

❷ 私は明日、スキーをします。

I'll play skiing tomorrow.

　スポーツに関して、ネイティブは3つの動詞play、go、doを使います。

　下の例を見て、それぞれの使い分け方を理解しましょう。

play	ボールを使用するスポーツに使われます。
go	一般的に **-ing**の語尾を持つスポーツに使われます。
do	ボールを使わず、**-ing**の語尾のないスポーツに使われます。

　例を見てみましょう。

●play（ボールを使用するスポーツ）

We like to play baseball**.**

（私たちは野球をすることが好きです）

Have you ever played ice hockey**?**

（あなたは今までにアイスホッケーをしたことがありますか？）

●go（-ingの語尾を持つスポーツ）

Let's go fishing **tomorrow.**

（明日、釣りに行きましょう）

We went bowling **yesterday.**

（私たちは昨日、ボーリングをしに行きました）

●do（ボールを使わず、-ingの語尾のないスポーツ）

I do kendo at school.

（私は学校で剣道をします）

I did judo when I was a high school student.

（私は高校生のときに柔道をしました）

ひとことメモ

　ボクシング、レスリング、ウェイトリフティングなどの激しいスポーツは、語尾が -ingですが、動詞goを使いません。これらの場合は次のように言います。

　　例　**I box.**（私はボクシングをする）

　　　　I wrestle.（私はレスリングをする）

　　　　I lift weights.（私はウェイトリフティングをする）

ネイティブのNatural English

I'll go skiing tomorrow.

（私は明日、スキーに行きます）

Drill ❷

空所にplay、go、doのいずれかを入れましょう。

❶ **Do you want to _____ badminton?**

❷ **We _____ karate at school.**

❸ **Why don't we _____ cycling?**

❸ 私たちは英会話を学んでいます。

We study English conversation.

　日本では「英会話（English conversation）」という言葉は、学校で学ぶ英語（主に文法と英文和訳が中心のもの）と、語学学校で教えられる英語（通常、会話中心のもの）とを区別するために生まれたものです。

　しかし他の国々では、人々は英語会話、フランス語会話、イタリア語会話などというものは学びません。単に英語、フランス語、イタリア語を学ぶのです。

　多くの人々にとって、**ある言語を習得する目的は意思疎通をすることですから、当然たくさんの会話がなされますので、あえて「会話（conversation）」という必要はないのです。**

　もう１つ、studyという語に触れておきます。

　何かを学習するということは、それを理解しようと試みることを意味します。生徒たちは学校に通い、本を開き、教師の言うことに耳を傾けるなどして、学習します。そしてそれを理解する段階を経て、最終的にそれをlearnすることになります。それは「実際に学習したことを使いこなせるようになる(習得する)こと」を意味します。

　したがって、studyは学びの過程の初めの段階にすぎません。教師は、生徒がstudyすることに満足するのではなく、常にlearnすることを目指したいものです。

　日本人が使いがちな表現を見てみましょう。それぞれ2番目の英文が自然な表現です。

例1　△　**Let's study English conversation.**
　　　　（英会話を学びましょう）

　　　○　**Let's learn English.**
　　　　（英語を学びましょう）

例2　△　**I go to an English conversation school.**
　　　　（私は英会話学校に通っています）

　　　○　**I go to an English school.**
　　　　（私は英語学校に通っています）

ネイティブのNatural English

We learn English. ○

（私たちは英語を学びます）

Drill ❸

次の英文を自然な英文にしましょう。

❶ 外国語を勉強することが好きですか？
Do you like to study foreign languages?

_____

❷ 私は英会話スクールで働いています。
I work at an English conversation school.

_____

動詞（choose）

日本人のEnglish

4 昨日、私はその色を選びました。

Yesterday, I choiced the color.

chooseという語は、多くの日本人にとって間違えやすいようです。この動詞の現在形、過去形、過去分詞形を見てみましょう。

現在形	過去形	過去分詞形
choose	chose	chosen

このように、**choose**の過去形はchoicedではなくchoseです。chooseの3つの時制を含む例を挙げます。

＜現在形＞
You always choose the restaurant.
（君はいつもあのレストランを選ぶね）

＜過去形＞
John chose the black tuxedo.
（ジョンは黒のタキシードを選びました）

＜過去分詞形＞
He should have chosen another color.
（彼は別の色を選ぶべきだったのに）

また、**choose**の名詞形は**choice**です。

例　**You made a good choice.**
（君はいい選択をしたね）

We have two choices.
（私たちには2つの選択肢がある）

It's always good to have a choice.
（選択肢があるということは、とにかくいいことだ）

Too many choices can be a bad thing sometimes.
（選択肢がありすぎることは、時として良くない場合がある）

ネイティブのNatural English

Yesterday, I chose the color.

（昨日、私はその色を選びました）

Drill ❹

空所にchoose, chose, chosenのいずれかを入れましょう。

❶ この模様は誰が選んだのですか？
　Who _____ this pattern?

❷ AとBのどちらをあなたは選びますか？
　A or B, which do you _____ ?

❸ もう勝者は決まりましたか？
　Has the winner been _____ yet?

⑤ 気にしないで。

Don't mind.

英語の **"I don't mind."** は「私は気にならないので、かまわないよ」という意味です。会話例を挙げます。

＜会話例１＞

A: I can call you tonight, but it might be after 10:00 p.m.

今夜、あなたに電話できるけど、夜の10時過ぎになるかもしれないわ。

B: That's fine. I don't mind you calling me late.

大丈夫だよ。遅くに電話をくれるのはかまわないよ。

＜会話例2＞

A: Can I put on some music?

何か音楽をかけてもいい？

B: Sure, I don't mind.

いいよ、気にしないよ（どうぞ）。

このように、"I don't mind." は、話し手である「私」が何かに対して気にしないことを相手に伝える表現です。

あなたが相手に、あることについて心配しなくていいよと伝えたいときは、次のように言いましょう。

Don't worry about it.

（それについては心配しないで）

＜会話例3＞
A: I'm sorry I broke the cup.
カップを割ってしまってすみません。
B: Don't worry about it.
心配しなくていいですよ。

＜会話例4＞
A: Sorry for arriving late.
着くのが遅れてごめんなさい。
B: Don't worry about it.
気にしなくて大丈夫だよ。

ネイティブのNatural English

Don't worry about it.

（心配しないでください）

Drill ⑤

日本語の意味に応じて、空所に"Don't worry about it."または
は"I don't mind."を入れましょう。

❶ 昨夜、電話しなくてごめんなさい。
I'm sorry for not calling you last night.
— 気にしなくていいよ。

_____

❷ 今ちょっと電話かけてもいい？
Is it OK if I make a quick phone call?
— いいわよ。どうぞ。

_____

❻ あなたはそれがほしいですか？

Do you hope it?　　　

動詞のhopeは、次のように用いることができます。

1 **I hope to get married soon.**
　私はすぐに結婚したいと願っています。
2 **I hope that the weather will be good.**
　私は天気が良くなることを望みます。

　1ではhopeに不定詞が続きますが、2ではhopeにthat節が続いています。hopeを❻の文のように使うことはできません。このようなときは **"Do you want it?"** と言いましょう。

　次の例を見てみましょう。

あなたはそのDVDがほしいですか？

　　　　　　× **Do you hope the DVD?**
　　　　　　○ **Do you want the DVD?**

―はい、ほしいです。　　× **Yes, I hope it.**
　　　　　　○ **Yes, I want it.**

―いいえ、ほしくはありません。　× **No, I don't hope it.**
　　　　　　○ **No, I don't want it.**

誕生日に何がほしいですか？

× **What do you hope for your birthday?**

○ **What do you want for your birthday?**

新しいゲームがほしいです。

× **I hope a new video game.**

○ **I want a new video game.**

本当は、何もほしくありません。

× **Actually, I don't hope anything.**

○ **Actually, I don't want anything.**

ネイティブのNatural English

Do you want it? ○

（あなたはそれがほしいですか？）

Drill ❻

次の英文を自然な英文にしましょう。

❶ 私はこの授業で良い成績を取りたいです。
I hope a good grade in this class.

_____

❷ あなたはもっといい仕事を望んでいますか？
Do you hope a better job?

_____

❼ いい仕事を見つけたいです。

I wish I can find a good job.

❼の文は、正しくは次のように表現することができます。

1　I wish **I could find a good job.**
　　私は、いい仕事が見つかるといいなと思うのですがねぇ。

2　I hope (that) I can find **a good job.**
　　私は、いい仕事を見つけたいと思っています。

　1は仮定法です。これは、現実的には良い仕事が見つかる可能性はほとんどない、あるいは全くないことを意味します。しかし、おそらく当人が言いたいことはそういうことではないでしょう。
　良い仕事を見つけられる可能性はあるという場合は、2のように表現します。

　wishを用いるときは、あることが不可能、あるいはほとんど不可能に近いことを暗示することになります。

I wish I were a millionaire.
（仮にも自分が百万長者だったらなぁ）

　もし、あることが可能だという含みを持たせたいなら、hopeを使いましょう。

I hope I can pass the test.
（私はその試験に合格したいと思っています）

次の1と3の英文は「不可能である」、2と4の英文は「可能である」
と暗に伝えています。

1   I wish I could go to the concert.
    私は、そのコンサートに行けるといいのですがねぇ。
2   I hope I can go to the concert.
    私は、そのコンサートに行けるよう願っています。
3   We wish the weather were good.
    天気が良ければいいのですがねぇ。
4   We hope the weather will be good.
    天気が良くなるだろうと期待しています。

ネイティブのNatural English

I hope I can find a good job.

（いい仕事を見つけたいです）

Drill 7

次の英文を、1では不可能である、2では可能であるという
英文にしましょう。

I wish I can take a couple of days off next week.

❶ 来週2日間休めたらいいのに。

_____

❷ 来週2日間休めたらいいなぁ。

_____

動詞（imagine）と名詞（image）

❽ バラク・オバマが若かった時、彼が大統領になるとは誰も想像できませんでした。

When he was young, nobody could image Barak Obama as president.

❽の文の問題点は、**image**という語にあります。imageは通常、名詞として用いられ、いくつかの意味があります。

そのうちの一つが「（精神的あるいは視覚的に）心に焼き付いているもの」の描写です。

例　**I'll never forget the image of so many hungry children.**
（私はかなり多くの空腹な状態の子どもたちの姿を決して忘れないでしょう）

この場合、かなり多くの空腹な状態の子どもたちの姿を見たことが、心の中で決して忘れられない<u>記憶や映像</u>となって残ったわけです。

また**image**は「一つの<u>模範</u>となる姿」を意味することもあります。

例　**My image of a good father is someone who spends a lot of time with his kids.**
（私の良き父親像とは、子どもたちと多くの時間を過ごすような人です）

2つの例のどちらの意味も❽の文においては当てはまりませんね。この場合はimageではなく、imagineを使います。

When he was young, nobody could imagine Barak Obama as president.

　「想像する」を英語で言いたいときは、ジョン・レノンの有名な歌にあるようにimagineを使いましょう。

ネイティブのNatural English

When he was young, nobody could imagine Barak Obama as president.

（バラク・オバマが若かった時、彼が大統領になるとは誰も想像できませんでした）

Drill ⑧

日本語の意味に応じて、空所にimagineまたはimageを入れましょう。

❶ 私は時々自分がステージで何千人もの人々の前でギターを演奏しているのを想像します。
I sometimes _____ myself playing guitar on stage in front of thousands of people.

❷ 戦争のない世界を想像できますか？
Can you _____ a world where there is no war?

❸ あなたの理想のパートナー像とは？
What is your _____ of a perfect partner?

❾ すみません、間違えました。

Sorry, I mistook.

　しばしば生徒さんは「間違えた」と言いたい時、❾の文のように言います。この言い方は誤りです。

　mistakeという動詞は「何かの意味を誤解する」「誰かを他の人と間違える」という意味です。例を挙げます。

1　**Don't** mistake **her** for **her twin sister.**
　彼女を双子の姉（妹）と間違えないでね。

2　**I** mistook **your intentions.**
　私はあなたの意図を誤解していた。

　1では、mistakeは「AさんをBさんと間違える」という意味で、「**mistake** + **A**（人）+ **for B**（別人）」を用います。

　2では「あなたの意図を誤解した」という意味で、mistakeは他動詞ですので、目的語your intentions（あなたの意図）を直後に置かなければなりません。

　単に「間違ってしまった」と言いたい時は、
Sorry, I made a mistake.
と言いましょう。この文のmistakeは名詞です。

　もう一つ、名詞mistakeの例を挙げます。

We're sorry. We made a mistake.
（すみません、私どもの間違いでした）

Sorry, I made a mistake.

（すみません、間違えました）

Drill ❾

「make〔made〕a mistake」または「mistake〔mistook〕＋A＋for B」の表現を用いて、英文を完成しましょう。ヒントを参考にしてください。

❶ 私は、よく叔母の声を母の声と間違えます。
　（ヒント　my aunt's voice / for my mother's voice）
　I often _____

❷ 私は、あなたのメッセージを誤解していました。
　（ヒント　your message）
　I _____

日本人のEnglish

❿ 私は明日、友人に会う予定です。

I'm going to meet my friend tomorrow.

動詞meetは、誰かと初めて会うときに使われます。

I met my best friend in elementary school.
(僕は、1番の親友とは小学校で出会ったんだ)

　友人と会うという話をするなら、**meet**よりもseeを使いましょう。

I'm going to see my friend tomorrow.
(私は明日、友人に会う予定です)

　注意点として、もしだれかに偶然会った場合はmeetではなくrun intoを使いましょう。

私は昨日、道で偶然、友人に会いました。
○　**I ran into my friend on the street yesterday.**
×　**I met my friend on the street yesterday.**

　meet、see、run intoの例を見てみましょう。

I'm going to see some friends in Tokyo this weekend.
(私は今週末、東京で何人かの友人と会う予定です)

John met Chieko at a party about a year ago.
(ジョンは約1年前に、パーティーで千恵子に出会いました)

I often run into my friend, Atticus, while jogging.
(私はジョギングをしている最中に、友人のアティカスによく偶然会います)

ネイティブのNatural English

I'm going to see my friend tomorrow. ○

（私は明日、友人に会う予定です）

Drill ⑩

日本語の意味に応じて、正しいほうを選びましょう。

❶ あなたが親友に最後に会ったのはいつですか？
When was the last time you (met / saw) your best friend?

❷ 私たちは20年前、大学生だった時に出会いました。
We (met / saw) 20 years ago when we were college students.

❸ 私は昨日、買い物をしている最中にアスィーナに偶然会いました。
Yesterday I (met / ran into) my friend, Athena while shopping.

動詞（wait, look, say, tell, retire）

⓫ あなたを外で待っているわ。

I'll wait you outside.

前のページでは、日本人が間違えやすい他動詞を見てきました。

ここでは、自動詞を見てみましょう。2つの自動詞waitとlookを取り上げます。これらも間違えやすい動詞です。

自動詞は、その直後に目的語が続くことはありません。目的語がある場合、動詞と目的語の間に前置詞（for、atなど）が来なければなりません。次の2つの文を見てください。

1　**I'll wait for you outside.**
　　私は外であなたを待っています。
2　**Don't look at me.**
　　私を見ないでください。

間違えやすいのは、動詞sayです。多くの生徒さんが"My teacher said me ..."と言いますが、これは誤りです。**"My teacher said to me..."** または**"My teacher told me ..."** と言いましょう。

「先生は私に…と言いました。」
×　**My teacher said me ...**
○　**My teacher said to me ...**
○　**My teacher told me ...**

他にも例を見てみましょう。
Can you wait for me downstairs?
（下の階で、私を待っていてくれますか？）

You shouldn't look at people too long.
（人々をじっと見ているべきではありません）
What did John say to Chieko?
（ジョンは千恵子に何と言ったのですか？）

　もう1つ、間違えやすい動詞はretireです。多くの日本人が「退職した」を"retired one's job"と言いますが、retireは通常、自動詞なので、正しくは"retired"の1語でよいのです。

私は昨年、退職しました。
× 　I <u>retired my job</u> last year.
○ 　I retired last year.

ネイティブのNatural English

I'll wait for you outside. ○

（あなたを外で待っているわ）

Drill ⑪

（　　　）内の前置詞を、正しい位置に入れましょう。

❶ あなたはバスを待っているのですか？
　Are you waiting the bus?　　(*for*)

❷ ホワイトボードを見てください。
　Please look the whiteboard.　(*at*)

❸ 警察はあなたに何と言ったのですか？
　What did the police say you?　(*to*)

動詞 (present, give) と名詞 (present)

⓬ 友人が私にこのバッグをプレゼントしてくれ
ました。

A friend presented me this bag.

present という語に関して、間違える日本人が多いです。

名詞 present は、皆さんが誕生日やクリスマスなどでもらったり、あげたりする「贈り物、プレゼント」を意味します。強勢は pre にあり、present です。

しかし、動詞 present を使うと、それは「口頭での発表を行う」という意味になります。

例　**We are going to present our ideas at the next meeting.**
（私たちは次の会議で考えを発表するつもりです）

⓬の文では、**"A friend gave me this bag."** のように言いましょう。贈り物に対しては動詞の ‘give/gave/given’ を使ってください。

他にも例を見てみましょう。

私の両親は、私の誕生日にいつも服をプレゼントしてくれます。
× 　**My parents usually present me clothes for my birthday.**
○ 　**My parents usually give me clothes for my birthday.**

バレンタインデーに、私はたくさんのチョコレートをもらいました。
× 　**I was presented a lot of chocolate for Valentine's Day.**
○ 　**I was given a lot of chocolate for Valentine's Day.**

クリスマスに、あなたは家族にいつも何を贈りますか？

× **What do you usually present your family for Christmas?**

○ **What do you usually give your family for Christmas?**

今までに、あなたの誕生日に誰かがお金を贈ってくれたことがありますか？

× **Has anyone ever presented you money for your birthday?**

○ **Has anyone ever given you money for your birthday?**

ネイティブのNatural English

A friend gave me this bag. ○

（友人が私にこのバッグをプレゼントしてくれました）

Drill ⑫

次の英文を自然な英文にしましょう。

❶ ジョンは千恵子に、クリスマスに上着を贈りました。
John presented Chieko a jacket for Christmas.

_____

❷ 私の父は母に、二人の記念日に花を贈りました。
My dad presented my mom flowers for their anniversary.

_____

⑬ ペンを貸してもらえますか？

Can you borrow me a pen?

　日本語を学んでいる外国人にとって、「貸す」と「借りる」を正しく使うことは難しいものです。どちらの語を言うべきか、しばしば混乱してしまいます。私は次のような覚え方をすすめています。

	「借りる」			「貸す」		
英語	borrow	=	6文字	lend	=	4文字
日本語	*kariru*	=	6文字	*kasu*	=	4文字

⑬の文は、正しくは**"Can you lend me a pen?"**になります。

他にもlend（貸す）の例を見てみましょう。

I'm broke. Can you lend me some money?
（私は一文なしです。いくらか私にお金を貸してもらえますか？）

I don't have my electronic dictionary, because I lent it to a classmate.
（私は私の電子辞書を持っていません。なぜなら、それをクラスメートに貸したからです）

　次にborrow（借りる）の例を見てみましょう。

Have you ever borrowed something and never returned it?
（あなたは今までに何かを借りて、それを返さなかったことはありますか？）

　また、borrow（借りる）には、よくfrom（〜から）という語が後に続きます。

I'm going to borrow a book from the library.
（私は図書館から本を借りるつもりです）
Jane told me that she had borrowed the car from Tim.
（ジェーンは私に、ティムから車を借りていたと言いました）

ネイティブのNatural English

Can you lend me a pen?

（ペンを貸してもらえますか？）

Drill ⓭

空所にborrow / lend、または過去形のborrowed / lentのいずれかを入れましょう。

❶ 私は決して友人からお金は借りません。
I never _____ money from friends.

❷ あなたは今までに誰かにお金を貸したことがありますか？
Have you ever _____ someone money?

日本人のEnglish

⓮ 私の息子はまもなく大学に入学する予定です。

My son is going to enter university soon.

学校に通い始めることを話題にするとき、英語ではstartという動詞が一般的です。したがって、⓮の自然な英文は次のようになります。

My son is going to start university soon.
（私の息子はまもなく大学生活を始める予定です）

高等学校、中学校、小学校などについても同様です。startは会社に対しても使えます。

I started working at this company a year ago.
（私は1年前にこの会社に勤め始めました）

他にも例を見てみましょう。

私の息子は明日、小学校に通い始めることになっています。
× **My son is going to enter elementary school tomorrow.**
○ **My son is going to start elementary school tomorrow.**

あなたはいつこの会社で働き始めましたか？
× **When did you enter this company?**
○ **When did you start working at this company?**

私の3歳の娘は来週、幼稚園に通い始めます。

× **My three-year-old daughter is going to enter kindergarten next week.**

○ **My three-year-old daughter is going to start kindergarten next week.**

アメリカでは、人生の晩年に大学に通い始める人がたくさんいます。

× **In America, many people enter university later in life.**

○ **In America, many people start university later in life.**

ネイティブのNatural English

My son is going to start university soon.

（私の息子はまもなく大学生活を始める予定です）

Drill ⑭

次の英文を自然な英文にしましょう。

❶ あなたは何年に大学に通い始めたのですか？
What year did you enter university?

_____

❷ 私はまもなくドイツの企業に勤め始める予定です。
I'm going to enter a German company soon.

_____

> **日本人のEnglish**
>
> ⑮ 私たちは買い物に行きました。
>
> **We went to shopping.**

　toは、しばしば「場所を表す語」の前に来る前置詞ですが、⑮の文では必要ありません。

　例えば、具体的な場所を含んだcome to **school**やgo to **the station**と言うことはできますが、shoppingは場所ではありませんので、toは不要です。

　⑮の正しい英文は**"We went shopping."** です。具体的な場所であっても、toが前に置かれるべきではないものもありますので注意してください。

✕　to here	to there	to home	to downtown
○　here	there	home	downtown
（ここへ）	（そこへ）	（家へ）	（街中へ）

　他にも例を見てみましょう。

家へ帰りましょう。
- ✕　**Let's go to home**.
- ○　**Let's go home.**

昨日、買い物に行きましたか？
- ✕　**Did you go to shopping yesterday?**
- ○　**Did you go shopping yesterday?**

ここへは車で来ましたか？

× **Did you drive to here?**

○ **Did you drive here?**

私たちはランチをしに、街中へ出かけました。

× **We went to downtown for lunch.**

○ **We went downtown for lunch.**

ネイティブのNatural English

We went shopping. ○

（私たちは買い物に行きました）

Drill ⑮

次の英文を自然な英文にしましょう。

❶ 買い物に行きましょう。
Let's go to shopping.

_____

❷ そこへは、どうやって行く予定ですか？
How are you going to go to there?

_____

動詞（trip, visit, go）と名詞（trip, vacation）

⓰ 私たちはイタリアへ旅行しました。

We tripped to Italy.

tripは、動詞として用いられると「転ぶ」という意味になります。例えば、**"I tripped on the steps."**（私は階段で転んだ）のように表現します。

動詞tripには「薬物のせいで幻覚（症状）を感じる」という意味もあります。もしあなたが **"We tripped to Italy."** と言えば、誤った英語であるだけでなく、その意味に困惑することになってしまいます。

旅行について話しているなら、正しくは **"We took a trip to Italy."** です。ここでのtripは名詞です。

次のような表現もあります。

1 **We visited Italy.**　　　（私たちはイタリアを訪れました）
2 **We went to Italy.**　　　（私たちはイタリアへ行きました）
3 **We vacationed in Italy.**

（私たちはイタリアで休暇を取りました）

3のようにvacationは動詞としても用いられます。

他にも例を見てみましょう。

ジョンと千恵子はコモ湖を訪れる予定です。
×　**John and Chieko are going to trip to Lake Como.**
○　**John and Chieko are going to visit Lake Como.**

先月、私たちはハワイに行きました。

× **Last month, we tripped to Hawaii.**

○ **Last month, we went to Hawaii.**

あなたは今までにオーストラリアで休暇を取ったことがありますか？

× **Have you ever tripped to Australia?**

○ **Have you ever vacationed in Australia?**

ネイティブのNatural English

We took a trip to Italy.

（私たちはイタリアへ旅行しました）

Drill ⑯

「take/took/taken＋a trip」を使って、次の英文を自然な英文にしましょう。

❶ 私は南アメリカへ旅行に行く予定です。
I'm going to trip to South America.

_____

❷ 去年、私たちは、アフリカへ旅行に行きました。
Last year, we tripped to Africa.

_____

❸ あなたは今までにラテンアメリカを旅したことがありますか？
Have you ever tripped to Latin America?

_____

日本人のEnglish

⓱ 私は帰宅します。

I'll back my home.　　✕

⓱の文では、**back**を動詞として使おうとしていますが、これは誤りです。この文には**come**や**go**といった動詞が適しています。下の例を見てください。

I'll go back home.
（私は帰宅します）

When are you coming back home?
（あなたはいつ帰宅する予定ですか？）

これらは正しい英文になります。また、homeの前にmyをつける必要はないことにも気づいてください。**"I'll go back home."**と言いましょう。

他にも例を見てみましょう。

私は仕事に戻る予定です。
✕　**I'm going to back to work.**
○　**I'm going to go back to work.**

あなたは何時に会社に戻ってくる予定ですか？
✕　**What time are you going to back to the office?**
○　**What time are you going to come back to the office?**

あなたはクリスマスに帰省しましたか？
- ×　**Did you back home for Christmas?**
- ○　**Did you go back home for Christmas?**

あなたは7時までに帰宅しなければなりません。
- ×　**You have to back home by 7:00.**
- ○　**You have to come back home by 7:00.**

ネイティブのNatural English

I'll go back home.　○

（私は帰宅します）

Drill ⑰

（　）内の語を用いて、正しい英文にしましょう。

❶ 家に帰ろう。
Let's back home. (go)

_____

❷ あなたの息子さんはどのくらいの頻度で家に帰ってきますか？
How often does your son back home? (come)

_____

動詞（make up）と名詞（makeup）

❶8 私は化粧をするのに30分必要です。

I need 30 minutes to make up my face.

お化粧をすることについて話すときは、動詞ではなく、名詞の
makeupを用いるほうが自然です。下に2つの例を挙げます。

I always put on makeup **in the morning.**
（私はいつも朝にお化粧をします）
You have to be careful when you apply makeup.
（お化粧をする時には、念入りにしなければなりません）

例文のように、化粧をすることについて話すときにput onと
applyが通常、用いられます。
❶8の英文の正しい言い方は、次のようになります。
I need 30 minutes to put on（またはapply）makeup.
（私は化粧をするのに30分必要です）

このときmy faceを付ける必要はありません。またmakeupは2語
ではなく、1語ですので注意しましょう。

他にも例を見てみましょう。以下の場合も **put on makeup** または
apply makeup を使う表現が正しいです。

私は今日、化粧をしませんでした。
× **I didn't make up my face today.**
○ **I didn't** put on makeup **today.**
○ **I didn't** apply makeup **today.**

あなたは朝、化粧をするのにどのくらい時間がかかりますか？

× **How long does it take you to make up your face in the morning?**

○ **How long does it take you to put on makeup in the morning?**

○ **How long does it take you to apply makeup in the morning?**

ニュース番組の司会者は放送前に化粧をします。

× **News anchors make up their faces before they go on the air.**

○ **News anchors put on makeup before they go on the air.**

○ **News anchors apply makeup before they go on the air.**

ネイティブのNatural English

I need 30 minutes to put on makeup. ○

I need 30 minutes to apply makeup. ○

（私は化粧をするのに30分必要です）

Drill ⑱

put on makeup, apply makeupを用いて、正しい英文にしましょう。

❶ 日本の高校生はメイクをすることを許されていません。
Japanese high school students are not allowed to (make up).

_____

動詞（speed up, slow down）

⑲ 速度を落としてください。

Please speed down.

　この文は不自然な英語になっています。もしもっとゆっくり運転してほしい場合は**"Please slow down."**と言いましょう。人が話すスピードや、車の運転速度などに対して言うときに使える表現です。

　また、もっと速く運転することが話題の場合は、
Please speed the car up.（他動詞）
（もっと車の速度を上げてください）
The car is speeding up.（自動詞）
（車の速度が上がっています）
などと言いましょう。

　⑲の文のように、speedとdownを一緒に用いても意味をなさないのです。

　車の運転に関することを、2つお伝えします。
　まず1つ目は、車のガソリンタンクが空になりかけて立ち寄る場所はgasoline stand（ガソリンスタンド）ではなく、gas station（ギャスステーション）と言います。
　2つ目は、赤信号、青信号などの「信号」はsignal（シグナル）ではなく、traffic light（トラフィックライト）と覚えてください。

I'm running low on gas. I need to find a gas station.
（ガソリンが少ないまま走っている。給油所を見つける必要がある）

　他にも例を見てみましょう。

The work is moving too slow. We should try to speed things up.

（仕事の進みが遅すぎます。私たちはもっと速やかに事を進めるべきです）

If someone is speaking too fast, you should ask him to slow down.

（ある人の話し方が速かったら、もっとゆっくり話すようにお願いすべきです）

If you don't slow down, you'll get a speeding ticket.

（速度を落とさなければ、スピード違反の切符を切られますよ）

ネイティブのNatural English

Please slow down.

（速度を落としてください）

Drill ⑲

日本語の意味に応じて、空所に語句を入れましょう。

❶ 車のアクセルを踏めば、速度が増します。
When you press the accelerator, the car will _____

❷ 信号が青であっても、道を渡る際は注意が必要です。
Even when the _____ is green, we should be careful crossing the street.

---

❷⓪ 私たちは家を改装する予定です。

We are going to reform our house.

　英語ではreformに「家屋を修理する」という意味はありません。家屋ではなく、「人を改心させる」「悪習を矯正する」など、「より良い変化を生み出すこと」を意味します。また、政府のしくみを改善することや、政策を変えるといったことにも用いられます。

　reformが通常、どのように使われるかを示す例文を挙げます。

1　**The government wants to reform the education system.**
　（政府は教育制度を改革したいと考えている）

2　**The new president introduced many new reforms.**
　（新しい大統領は多くの新しい改革を導入した）

　1ではreformは**動詞**です。2ではreformは**名詞**として使われています。

　自分の家屋を修繕することを話題にするなら、次のように言いましょう。
We are going to renovate our house.
（私たちは家を改装する予定です）

　また、renovateの名詞形はrenovationです。
How long will the renovation take?
（その改修はどのくらいの時間がかかりますか？）

　他にも例を見てみましょう。

The new mayor wants to reform the tax system of the city.
(新しい市長は、市の税制改革を望んでいます)

The city will renovate our school, which is very old, next year.
(市は、私たちの学校がとても古いので、来年それを改修する予定です)

We are going to have a company renovate our house.
(我々はある会社に依頼して、家を改装する予定です)

ネイティブのNatural English

We are going to renovate our house. ○

（私たちは家を改装する予定です）

Drill ⑳

日本語の意味に応じて、空所にrenovate, reform, renovation
のいずれかを入れましょう。

❶ 私たちは台所と浴室を改装する予定です。
We are going to _____ our kitchen and bathroom.

❷ 改装には1週間くらいかかるでしょう。
The _____ will take about a week.

❸ 総理大臣は郵便局のシステムを改善したい。
**The prime minister wants to _____ the post office
system.**

動詞（claim, complain）

動詞（claim, complain）

——

日本人のEnglish

㉑ 客から我々のサービスに苦情がありました。

The customers claimed our service.

——

claimという動詞は、強い主張を伝えるために用いられることがあります。

例　**John claimed that he was the best basketball player in our school.**

（ジョンは、彼が私たちの学校で最も優れたバスケットボール選手だと主張しました）

claimは名詞としても使用可能で、「不動産の所有（相続）権」を意味します。

例　**This is my house. You have no claim to it.**

（これは私の家です。あなたにその所有権はないわ）

実際に、claimの動詞および名詞形にはいくつかの用法がありますが、いずれにも「不満を言う」という意味はありません。

「不満を言う」と言いたい場合、正しい文は次のようになります。

× 　**The customers claimed our service.**
○ 　**The customers complained about our service.**

complainは自動詞で、その後にaboutが続くことがよくあります。

他にも例を見てみましょう。

× **My neighbors claimed the noise.**
○ **My neighbors complained about the noise.**
（近所の人たちはその騒音に対して文句を言いました）

× **Nobody has ever claimed our school.**
○ **Nobody has ever complained about our school.**
（誰も私たちの学校に今まで不満を言ってきたことはありません）

ネイティブのNatural English

The customers complained about our service.

（客から我々のサービスに苦情がありました）

Drill ㉑

次の英文の誤りを正しましょう。

❶ あなたはその価格に文句を言ったのですか？
Did you complain the price?

_____

❷ 時々、患者たちは自分の医者たちの不満を言います。
Sometimes, patients claim their doctors.

_____

㉒ 私は英語クラブに入っています。

I belong to the English club.

「ある団体や会社に所属する」という考えは、日本ではよくあることでしょう。例えば、会社勤めの人は「私はA会社の者です。」とよく言います。

しかし、アメリカでは通常、人々は仕事や学校の場において、このような考え方はしません。学校の部活動については、自然な英語は次のようになります。

△ I belong to the English club.
○ I am in the English club.

このように、be動詞が使われています。
例えば誰かに、その人の高校時代について尋ねたければ、次のように言います。

△ What club did you belong to when you were in high school?
○ What club were you in when you were in high school?
　 (あなたは高校時代に何のクラブに入っていましたか？)

運動部に関しては、アメリカの生徒たちは、次のように言います。
I am on the basketball team.
(バスケットボールチームに入っています)
I am on the soccer team.
(サッカーチームに入っています)

前置詞の違いに注意しましょう。文化部にはin、運動部にはonを使用します。

他にも例を見てみましょう。

ジョンはバスケットボール部に入っています。
△ **John belongs to the basketball club.**
○ **John is on the basketball team.**

私は茶道部に入っています。
△ **I belong to the tea ceremony club.**
○ **I am in the tea ceremony club.**

千恵子は科学部に入っていません。
△ **Chieko doesn't belong to the science club.**
○ **Chieko is not in the science club.**

ネイティブのNatural English

I'm in the English club. ○

（私は英語クラブに入っています）

Drill ㉒

次の英文を自然な英文にしましょう。

❶ あなたは陸上部に入っているのですか？
Do you belong to the track and field club?

_____

❷ 私たちは吹奏楽部に入っていません。
We don't belong to the brass band club.

_____

動詞（quit, hit, put, cut, shut）

㉓ 私は仕事を辞めました。

I quitted my job.　

　英語には、現在形、過去形、過去分詞形が同じ動詞も中にはあります。いくつか例を挙げてみます。

	現在形	過去形	過去分詞形
打つ	hit	hit	hit
置く	put	put	put
切る	cut	cut	cut
閉じる	shut	shut	shut
止める	quit	quit	quit

㉓の正しい英文は、次のようになります。

× **I quitted my job.**
○ **I quit my job.**
　（私は仕事を辞めました）

他にも例を見てみましょう。

× **I have never hitted a homerun.**
○ **I have never hit a homerun.**
　（私は一度もホームランを打ったことがないです）

×   **I putted the shopping bag in the car.**
○   **I put the shopping bag in the car.**
    （私は買い物袋を車に入れました）

×   **When I was young, my mother always cutted my hair.**
○   **When I was young, my mother always cut my hair.**
    （私が幼い頃、私の母が私の髪を切っていました）

×   **Because of the bad economy, many businesses have shutted down.**
○   **Because of the bad economy, many businesses have shut down.**
    （経済の悪化により、多くの企業が閉鎖しました）

ネイティブのNatural English

I quit my job.

（私は仕事を辞めました）

Drill ㉓

次の英文を自然な英文にしましょう。

❶ 私の父は昨日、仕事を辞めました。
My father quitted his job yesterday.

＿＿＿＿＿＿＿＿＿＿＿＿＿＿＿＿＿＿＿＿＿＿＿＿＿＿

❷ あなたは今までに、ある趣味をやめたことがありますか？
Have you ever quitted a hobby?

動詞（catch, have, get）

> **日本人のEnglish**
>
> ❷❹ 私は先週、風邪を引きました。
>
> # I catched a cold last week.

catchの過去形はcaughtですから、❷❹の正しい英文は次のように
なります。

I caught a cold last week.
（私は先週、風邪を引きました）

「風邪を引いている」という現在のことならhaveを用います。
I have a cold.
（私は風邪を引いています）

インフルエンザに関しては、catch/caught the fluよりもget/
got the fluを使うほうが一般的です。

△　**I caught the flu.**
○　**I got the flu.**
　　（私はインフルエンザにかかりました）

定冠詞theを名詞 fluの前に置きます。

他にも例を見てみましょう。

I'm sorry, but I can't go to your party. I have a cold.
（残念ながら、あなたのパーティーに行けません。風邪を引いてい
るのです）

I feel like I'm going to catch a cold. And I have the chills.
（風邪を引くような気がします。それと悪寒があります）

Some people get a flu shot, in order not to get the flu.
（インフルエンザにかからないように、予防接種を受ける人たちもいます）

Every year, I get the flu despite getting the flu shot.
（毎年、予防接種を受けているにもかかわらず、私はインフルエンザにかかっています）

ネイティブのNatural English

I caught a cold last week. ◯

（私は先週、風邪を引きました）

Drill ㉔

日本語の意味に応じて、空所を埋めましょう。

❶ 私の娘は先週、風邪を引きました。
My daughter _____ a cold last week.

❷ あなたは毎年インフルエンザにかかりますか？
Do you _____ the flu every year?

㉕ 多くの人がその災害で亡くなりました。

Many people were died in the disaster.

　この英文の誤りは、were diedの部分です。動詞のdie（死ぬ、亡くなる）は自動詞です。他動詞だけが受動態になり得るので、㉕の正しい英文は次のようになります。

Many people died in the disaster.
（多くの人がその災害で亡くなりました）

　一方で、「産む」という意味の動詞bearの主な3つの用例を挙げます。

現在時制 　— 　**A cat can bear many kittens.**
　　　　　　　　（ネコは多産です）
過去時制 　— 　**My wife bore twins yesterday.**
　　　　　　　　（私の妻は昨日、双子を出産しました）
過去分詞 　— 　**I was born in the USA.**
　　　　　　　　（私はアメリカ合衆国で生まれました）

　まとめますと、動詞dieは自動詞ですので能動態で用い、動詞bearは他動詞ですが、通常は受動態で用いられることが多いのです。

　他にも例を見てみましょう。

Millions of people died in World War II.
（何百万人という人々が第2次世界大戦で亡くなりました）

Three puppies were born last night.
（昨夜、3匹の子犬が生まれました）

I know that Mozart was born in 1756, but when did he die?
（モーツァルトは1756年に生まれたのは知っていますが、何年に亡くなったのですか？）

Valentina Vassilyev is said to have bore 69 children between 1725 and 1765.
（バレンチナ・ヴァシリエフは1725年から1765年の間に69人の子供を産んだと言われています）

ネイティブのNatural English

Many people died in the disaster. ○

（多くの人がその災害で亡くなりました）

Drill ㉕

日本語の意味に応じて、空所を埋めましょう。

❶ 私の曾祖母は10人の子供を出産しました。
My great grandmother _____ ten children.

❷ 家族が亡くなれば、とても悲しいものです。
It's so sad when family members _____ .

動詞（break. stop working）

㉖ 私の車が故障しました。

My car was broken.

　窓は割れることがありますし、カップ、お皿なども同様です。一方で、車も故障するものです。㉖の英文を訂正する方法は2つあります。

1　受動態ではなく、能動態の文にする。
　　My car broke down. （私の車は故障しました）

2　breakではなく、他の動詞を使って表現する。
　　My car stopped working. （私の車は動かなくなりました）

　break downやstop workingは、電動の乗り物（車、バス、バイクなど）や、電化製品（エアコン、電子レンジ、食器洗い機など）に使えます。

　他にも例を見てみましょう。

<日用品、家の中のものなど>
すみません。私は台所でお皿を割ってしまいました。
I'm sorry. I broke **a plate in the kitchen.**

野球のボールがジョンソンさんの家の窓を割りました。
The baseball broke **Mr. Johnson's window.**

<乗り物>
私たちのミニバンが昨日、高速道路で故障しました。
Our minivan broke down **on the freeway yesterday.**

日本車はめったに故障しません。
Japanese cars seldom break down.

<電化製品>
電子レンジが動かなくなったようです。
It seems that our microwave has stopped working.

私のオフィスのエアコンはよく動かなくなります。
The air conditioner in my office often stops working.

ネイティブのNatural English

My car broke down.
（私の車が故障しました）

Drill ㉖

（　　）内から正しいほうを選びましょう。

❶ そのストーブがまた動かなくなってしまいました。
The heater has (broken / stopped working) again.

❷ スクールバスが学校に来る途中で故障しました。
The school bus (broke / broke down) on the way to school.

㉗ 私は自転車を盗まれました。

I was stolen by bike.

　受動態は、しばしば英語学習者を悩ませます。受動態を理解するためには、まず能動態を復習しましょう。

　以下の文を見てください。

誰かが私の自転車を盗みました。

能動態 → **Somebody stole** my bike.
受動態 → **My bike** **was stolen** (by somebody).
　　　　　私の自転車が（誰かによって）盗まれました。

　おわかりのように、能動態の文の目的語（my bike）が、受動態の文で主語（My bike）として置かれるのです。

　他にも例を見てみましょう。

ダ・ヴィンチがモナリザを描きました。
→　モナリザはダ・ヴィンチによって描かれました。
Da Vinci painted the *Mona Lisa*.
→　**The *Mona Lisa* was painted by Da Vinci.**

多くの国々が英語を使用します。
→　英語は多くの国々で使用されます。
Many countries use English.
→　**English is used in many countries.**

アップル社がiPhoneとiPadを作っています。

→　**iPhone**と**iPad**はアップル社によって作られています。

Apple makes the iPhone and the iPad.

→　**The iPhone and the iPad** are made **by Apple.**

私たちは火星に都市を築くでしょう。

→　火星に都市が築かれるでしょう。

We will build cities on Mars.

→　**Cities on Mars** will be built.

ネイティブのNatural English

My bike was stolen (by somebody). ○

（私の自転車が（誰かによって）盗まれました）

Drill ㉗

空所に語句を補って、能動態の文を受動態の文に書き換え
ましょう。

❶ 東京はオリンピック2020を開催しました。

→　オリンピック2020は、東京によって開催されました。

Tokyo hosted the 2020 Olympics.

→　_____ were hosted by Tokyo.

日本人がほとんど使わない、
ネイティブがよく使う英語表現

　本書のメイントピックは「日本人に"あるある"の不自然な英語」を自然な英語表現に直して学ぶことです。

　逆に、このコラムでは「日本人がほとんど使わない、ネイティブがよく使う英語」をいくつか紹介していきます。

　私は日本で20年以上、英語を教えていますが、これから紹介する表現は、ある程度、英会話に慣れた生徒さんからもほとんど聞いたことがない表現です。こういう英語が使えるようになると、こなれた感じがしてかっこいいですし、がんばって英会話を勉強している印象も与えることでしょう。

　いずれも表現自体はとても簡単なものばかりですので、機会があればぜひ使ってみてください。

Do the math.

　mathはmathematics（数学、計算）を省略したものなので、この表現を直訳すると「（自分で）計算しなさい」という意味になります。

　ここから転じて「その状況について論理的に考えれば、簡単に答えが出せるはずだ」という意味で用いられるようになり、「少し考えればわかるだろ」や「後は自分で考えて」というニュアンスでネイティブがよく使う表現です。

　次の会話例を見てみましょう。

＜会話例1＞

A: Do you have any savings?

B: No, I don't.

A: But you have a good job, and your salary is high.

B: Yes, but I also have two sports cars, I travel a lot, and I spend a lot of money on clothes. <u>Do the math.</u>

＜会話例2＞

C: What happened to the chicken I left on the table?

D: Well, there was nobody in the kitchen except for the dog. And I see bits of chicken leading to the dog house. <u>Do the math.</u>

＜会話例1＞

A: 貯金してる？

B: してないよ。

A: でも君は高給取りじゃないか。

B: そうだけど、趣味のスポーツカーが2台あるし、旅行にもたくさん行くし、服にも結構お金がかかるんだよ。（この浪費癖を）**考えればわかるだろ**。

＜会話例2＞

C: 私がテーブルに置いてた鶏肉、どこいったの？

D: あぁ、キッチンには犬以外に誰もいなかったし、犬小屋のほうに鶏肉のかけらが落ちてたわよ。**考えればわかるでしょ**。

> **日本人のEnglish**
>
> ㉘ あなたのお仕事は何ですか？
>
> **What is your job?**

　このような質問はネイティブにとって不自然に感じます。多くの
ネイティブはこのように尋ねないでしょう。
　自然な英語を話すために、日本語では次のように考えましょう。
「あなたは何をされている方ですか？」

　英語で尋ねるときは、次のような表現が自然です。

△　**What is your job?**
○　**What do you do?**

　下の2つの会話を見てください。

＜会話例1＞
A: What do you do?
　あなたは、お仕事は何をしていますか？
B: I am a doctor.
　私は医者です。

＜会話例2＞
C: What does your father do?
　あなたのお父さんは、お仕事は何をされていますか？
D: He is an engineer.
　彼は技術職です。

　このように、職業名の前に冠詞のaやanが置かれます。

他にも例を見てみましょう。

あなたのお母さんのお仕事は何ですか？
× **What is your mother's job?**
○ **What does your mother do?**

彼女は建築家です。
× **She is architect.**
○ **She is an architect.**

ネイティブのNatural English

What do you do?

（あなたのお仕事は何ですか？）

Drill ㉘

日本語の意味に応じて、英文の誤りを正しましょう。

❶ あなたのお仕事は何ですか？
What is your job?

_____

❷ 私は銀行員です。
I am banker.

_____

名詞（work, homework, housework）

㉙ 私は仕事がたくさんあります。

I have many works to do.

　名詞のworkは通常、不可算です。もしあなたが仕事でやらなければならないことについて話すとき、many worksと言うのは誤りです。

　同じことが**homework**（宿題）、**housework**（家事）についても言えます。これらの自然な使い方を見てみましょう。

＜肯定文＞

　私は仕事（やらなければならないこと）がたくさんあります。

× I have many works to do.

○ I have a lot of work to do.

＜疑問文＞

　あなたは、やるべき家事がたくさんありますか？

× Do you have many houseworks to do?

○ Do you have a lot of housework to do?

＜否定文＞

　私は、仕事は多くありません。

× I don't have many works.

○ I don't have much work.

　私たちは今日は宿題があまり多くありません。

× We don't have many homeworks today.

○ We don't have much homework today.

このように a lot of と much は、work、homework、housework の前に置いて使うことが可能です。また、much は否定文の中にあるほうが、より自然です。他にも例を見てみましょう。

Our history teacher gives us a lot of homework.
（歴史の先生は、私たちにたくさんの宿題を出します）
I want to find another job. I have too much work here.
（私は別の仕事を見つけたいです。ここでは仕事が多すぎます）

ひとことメモ
　fireworks（花火）、artworks（芸術作品）などは複数形で表すことができます。

We can see many fireworks on the 4th of July in America.
（私たちはアメリカで7月4日に多くの花火を見ることができます）
Many artworks were destroyed by the fire at the museum.
（多くの芸術作品がその美術館の火事によって損なわれました）

ネイティブのNatural English

I have a lot of work to do.

（私は仕事がたくさんあります）

Drill ㉙

次の英文を自然な英文にしましょう。

❶ **Do you have to do many houseworks every day?**
あなたは毎日たくさんの家事をしなくてはなりませんか？

_____

名詞（homepage, website）

㉚ 当方のホームページをご覧ください。

Please visit our homepage.

　英語のhomepageは、皆さんがパソコンやスマホを開いてウェブサイトを立ち上げた時に「最初に目にするページ」だけを意味します。

　一方、英語のwebsiteは、多くのページから成り立っています。いったん最初のhomepage上でどこかのリンクをクリックすれば、他のページに移ります。複数のページ全体で一つのwebsiteを構成しているのです。

　つまり、一つのwebsiteは多くのページから成り立っています。

　したがって、㉚の正しい英文は次のようになります。

×　**Please visit our homepage.**
○　**Please visit our website.**
　（当方のホームページをご覧ください）

　他にも例を見てみましょう。

I like your website.
（私はあなたのウェブサイトを気に入っています）

Every page on it is very interesting and easy to use.
（どのページもとても興味深くて使いやすいです）

I am a website designer.
（私はウェブデザイナーです）

The homepage is the first page people see when they visit a website.
(ホームページは、あるウェブサイトを訪れた時に目にする最初の
ページのことです)

If you click here, it will take you back to the homepage.
(ここをクリックすれば (最初の) ページに戻ります)

─── ネイティブのNatural English ───

Please visit our website. ◯

(当方のホームページをご覧ください)

Drill ㉚

日本語の意味に応じて、空所にwebsiteまたはhomepage
を入れましょう。

❶ ビジネスを成功させたいならば、あなたは良いウェブサイト
が必要です。
**If you want your business to succeed, you need a
good _____.**

❷ あなたはすばらしいウェブサイトを持っていますが、ホーム
ページはもっと目を引くようにするべきです。
**You have a great website, but your _____ should
be more eye-catching.**

名詞 (hobby) と動詞 (like, enjoy)

㉛ 私の趣味は音楽を聴くことです。

My hobby is listening to music.

　まず、英語の「hobby」と日本語の「趣味」とは必ずしも同じではないということを理解しましょう。

　日本語では、ほぼどんな活動でも「趣味」に成り得ます。例えば、映画を観ることや音楽を聴くことは「趣味」とみなされます。

　しかし、英語のhobbyでは、ある活動が1つの「趣味」とみなされるためには通常、次の2つの条件を兼ね備える必要があります。

1　能動的であること
2　創造的であること

　典型的なhobbyの1つは「絵を描くこと」です。それはあなたの手を使っていますので能動的ですし、何色を使って何を描くかなどを選ばなければならないので創造的です。

My hobby is painting. (私の趣味は絵を描くことです)

　一方、何気なくTVを観たり、音楽を聴いたりすることは受動的であり、創造的ではありません。ですので、多くの人々に本当の意味でhobbyとみなされるわけではないのです。

　もし「音楽を聴くこと」があなたの楽しみならば、英語で次のように言えばよいのです。

I like listening to music. (私は音楽を聴くのが好きです)
I enjoy listening to music. (私は音楽を聴くのを楽しみます)

ひとことメモ

　ネイティブにとって、何気なく音楽を聴いたり、映画を観たりすることはhobbyではありません。なぜなら、これらは受け身的なものだからです。とは言え、もしあなたが主体的に音楽を聴いたり、映画を観たりするなら、例えば、あなたが鑑賞した映画について、他の人々と意見を交わすブログを持っているとしたら、映画を観ることは1つのhobbyになり得るでしょう。同様に、あなたが音楽のCDを集めたり、歌のリストを作れば、音楽を聴くこともまたhobbyと見なされるでしょう。

　覚えておいていただきたいのは、英語のhobbyは「主体的で、創造的なもの」であるということです。

ネイティブのNatural English

I like listening to music. ◯
（私は音楽を聴くのが好きです）

I enjoy listening to music. ◯
（私は音楽を聴くのを楽しみます）

Drill ㉛

hobbyである活動には◯を、そうでないものには×を記しましょう。

❶ watching movies　　　（映画を観ること）
❷ building model ships　（模型の船を組み立てること）
❸ collecting stamps　　（切手を収集すること）
❹ making jewelry　　　（宝飾品を作ること）
❺ going bird watching　（野鳥観察に出かけること）
❻ sleeping　　　　　　（眠ること）

> 日本人のEnglish
>
> ㉜ あなたの趣味は何ですか？
>
> **What is your hobby?**

㉛で英語の「hobby」と日本語の「趣味」は同じ意味を持つものではないと理解しましたね。

日本語の「趣味」は広い範囲の活動に及びますが、hobbiesはもっと特定化されます。hobbiesには「切手を集めること」「模型の船を組み立てること」「絵を描くこと」などがあります。しかし、多くの人が必ずしもそうした趣味を持っているわけではありません。

"What is your hobby?" という質問をするとき、尋ねる相手が趣味を持っていることを前提にしています。

他の例を挙げましょう。例えば、私があなたに **"What is your sister's name?"** と尋ねれば、私はあなたに姉妹がいることを既に知っているのです。一方、もし私があなたに姉妹がいるかどうかを知らなければ、私はまずあなたに「兄弟姉妹はいますか？」と尋ねるでしょう。

同様に、もし相手が趣味を持っているかどうかわからなければ、**"Do you have any hobbies?"** が自然な質問です。もしその人が趣味をもっていれば "Yes." と答えて、それがどんな趣味かをあなたに伝えるでしょう。

また、趣味だけでなく、余暇の活動について尋ねるときは **"How do you spend your free time?"** と聞いてみましょう。

△ **What is your hobby?**
○ **Do you have any hobbies?**
○ **How do you spend your free time?**

　この質問は万能です。これなら「眠ること」「TVを観ること」「パズルを解くこと」「物を収集すること」など、様々なことを好きだと答えることができます。例を見てみましょう。

会話例1　**A : Do you have any hobbies?**
　　　　　（あなたは何か趣味を持っていますか？）
　　　　　B : Yes, I do. I like making model planes.
　　　　　（はい。模型の飛行機を組み立てることが好きです）
会話例2　**A : How do you spend your free time?**
　　　　　（あなたは余暇をどう過ごしますか？）
　　　　　B : I enjoy listening to music and watching movies.
　　　　　（私は音楽鑑賞や映画鑑賞を楽しみます）

ネイティブのNatural English

Do you have any hobbies?

（あなたは何か趣味を持っていますか）

Drill 32

空所に、適切なほうの質問文を選んで入れましょう。

"Do you have any hobbies?
"How do you spend your free time?"

A : _____
B : I like to listen to podcasts.
　　私はポッドキャストを聴くのが好きです。

❸❸ 私の好きな音楽はポピュラー音楽です。

My favorite music is pops.

　多くの日本人がpopsと言います。実際、お店の売り場でpops（ポップス部門）と書かれているのを見たことがありますが、これは誤りです。正しい英語は単数形のpopを使います。

My favorite music is pop.
（私の好きな音楽はポピュラー音楽です）

　J-popやK-popなど、popという語が使われている他のジャンルを考えてみてください。単数形のpopですよね。
　次のような言い方で、❸❸の英文をより自然な表現にすることができます。

私の好きな音楽の種類はポピュラー音楽です。
My favorite type of **music is pop.**
My favorite kind of **music is pop.**
My favorite style of **music is pop.**

　音楽に関して話題にする際に、役に立つ疑問文を紹介します。

What type/kind/style of **music do you like?**
（どんな種類の音楽が好きですか？）

What is your favorite type/kind/style of **music?**
（あなたの好きな音楽の種類は何ですか？）

他にも例を見てみましょう。

What type/kind/style of music do you like?
（どんな種類の音楽が好きですか？）
I don't listen to pop music. I prefer hip hop.
（私はポピュラー音楽を聴きません。ヒップホップのほうが好きです）

ひとことメモ
　音楽のジャンルに関して、代表的な音楽家、バンド、作曲家の名前、よく使われる表現などを紹介します。

new age　　　（Yanni ヤーニ ）
classical music（Bach バッハ）
hip hop　　　（Jay-Z ジェイ・ズィー）
punk　　　　（Green Day グリーン・デイ）
pop　　　　　（Michael Jackson マイケル・ジャクソン）
Jazz　　　　　（Louis Armstrong ルイ・アームストロング）
hard rock　　　（Led Zeppelin レッド・ツェッペリン）
rock and roll　（the Rolling Stones ローリングストーンズ）
country music　（Garth Brooks ガース・ブルックス）

ネイティブのNatural English

My favorite type of music is pop. ◯

（私の好きな音楽はポピュラー音楽です）

Drill 33

好きな音楽の種類は何かを相手に尋ねましょう。

❶ **What is your favorite** ＿＿＿＿＿＿＿＿ **?**

日本人のEnglish

❸❹ 私はラブコメディーを観るのが好きです。

I like to watch love comedies.

「ラブコメディー」は、英語ではlove comediesではなく、正しくはromantic comediesです。

　有名な作品は、ジュリア・ロバーツとリチャード・ギアが出演した映画*Pretty Woman*（プリティーウーマン）でしょう。他に有名なものは*Notting Hill*（ノッテングヒルの恋人）と*Sleepless in Seattle*（めぐり逢えたら）などもありますね。

　私の好きな作品はビリー・クリスタルとメグ・ライアンによる*When Harry Met Sally*（恋人たちの予感）、ビル・マレイとアンディ・マクダウェルによる*Groundhog Day*（恋はデジャ・ブ）です。

　映画やテレビ番組の種類を伝える英語をいくつか紹介します。

action movies	アクション映画
adventure movies	冒険活劇映画
science fiction	空想科学（SFもの）
mysteries	ミステリー
documentaries	ドキュメンタリー（実録・記録）
human stories	人情物語
horror movies	ホラー映画（恐怖映画）
variety shows	バラエティー番組
news (shows)	ニュース番組
(TV) dramas	（テレビ）ドラマ

映画、テレビ番組に関する表現の例を見てみましょう。

Do you enjoy watching science fiction (sci-fi)?
(あなたはSFものを観て楽しみますか？)

We don't like to watch variety shows.
(私たちはバラエティー番組を観るのは好きではありません)

I like watching action movies.
(私はアクション映画を観るのが好きです)

━━ ネイティブのNatural English ━━

I like watching romantic comedies. ◯

(私はラブコメディーを観るのが好きです)

━━ Drill ㉞ ━━

日本語の意味に応じて、空所を埋めましょう。

❶ 私の彼氏はよく私にホラー映画を観させます。
   My boyfriend often makes me watch _____.

❷ 私はロマンティックコメディを観るほうがいいです。
   I prefer watching _____.

名詞（signature, autograph）と動詞（sign）

㉟ 私はテイラー・スウィフトのサインを
手に入れました。

I got Taylor Swift's sign.

　この英文では、signを名詞のように使っていますが、これは誤り
です。

　signは動詞で、契約書、ローンの申込書、クレジットカード決済
などの「（公的文書に）自分の名前を記入すること」を意味します。

例　**Please sign the contract.**
　　（契約書に署名してください）

　有名人などの「サイン」は、英語ではsignではなくautographを
使います。

× **I got Taylor Swift's sign.**
○ **I got Taylor Swift's autograph.**
　（私はテイラー・スウィフトのサインを手に入れました）

　㉟の英文では、signを名詞のように使っていますが、これは誤り
です。signの名詞形はsignatureです。何か公的なものに署名する
ときに使います。

I'll need your signature at the bottom of the contract.
（契約書の最後にあなたの署名をお願いします）

　しかし、㉟の英文は、何か公的なものに署名するという意味では
ありませんね。

他にも例を見てみましょう。

＜動詞sign＞

When you get a credit card, you must sign your name on the back.

（クレジットカードを手に入れた際は、裏面に署名しなければなりません）

＜名詞signature、autograph＞

In order for the contract to be valid, we'll need your signature.

（契約を有効なものとするには、あなたの署名が必要です）

Have you ever got a famous person's autograph?

（あなたは今までに有名人のサインをもらったことがありますか？）

ネイティブのNatural English

I got Taylor Swift's autograph. ○

（私はテイラー・スウィフトのサインを手に入れました）

Drill ㉟

日本語の意味に応じて、空所を埋めましょう。

❶ 映画俳優の中には、ファンにサインを書くことを嫌がる人もいます。

Some movie stars don't like to give their ＿＿＿＿ to their fans.

名詞（weight, money, job）

㊱ 私は体重を減らしたいです。

I want to lose my weight.

　この英文は、myを除くことで訂正できます。

　ネイティブは**"I want to lose weight."** と言います。自分の体重のことについて話しているのが明らかだからです。自分が誰か他の人の体重を減らすことはできないですよね。

× **I want to lose my weight.**

○ **I want to** lose weight.

「お金を貯める」と言う場合も同様です。例えば「私はお金を貯めなければなりません」と言うとき、"I have to save my money." と言うのではなく、myを除いて **"I have to save money."** と言いましょう。

私はお金を貯めなければなりません。

× **I have to save my money.**

○ **I have to** save money.

　もう一つ、「私は仕事を探します」と言うとき、"I'm going to look for my job." ではなく、**"I'm going to look for a job."** と言いましょう。

私は仕事を探します。

× **I'm going to look for my job.**

○ **I'm going to** look for a job.

他にも例を見てみましょう。

In the fourth year of university, many students look for jobs.
（大学の4年次に、多くの学生が就活します）
Some actors gain weight for a part before making a movie.
（役者の中には、映画を作る前に、役のために体重を増やす人もいます）
Many diet books say that they can help me to lose weight.
（多くのダイエット本に、体重を減らすことを手助けすることが書いてあります）

their jobs, their weight, my weight とは言わないので注意しましょう。

ネイティブのNatural English

I want to lose weight.

（私は体重を減らしたいです）

Drill 36

次の英文を自然な英文にしましょう。

❶ 私は何をやっても体重を減らせないんです。
No matter what I do, I can't lose my weight.

_____

❷ あなたは若い時に貯金をしましたか？
Did you save your money when you were younger?

_____

日本人のEnglish

㊳ 今日は私の休みの日です。

Today is my holiday.

holidayの原義は「神聖な（holy）日（day）」です。

holidayの代表的なものには12月25日のChristmas（クリスマス）があります。イエス・キリストの祝日ですね。アメリカで1月の第3金曜日はMartin Luther King Jr. Day（マーティン・ルーサー・キングJr.の祝日）と呼ばれています。1月の第3金曜日になります。

しかし、一般人を祝したholidayはありません。一般人にとって、休日は取るもので、day offという語を用います。

したがって、㊳の英文は、holidayではなくday offを使って、**"Today is my day off."** と言いましょう。

× **Today is my holiday.**
○ **Today is my day off.**
（今日は、私の休みの日です）

他にも例を見てみましょう。

来週の月曜日は、私の休みの日になるでしょう。
× **Next Monday will be my holiday.**
○ **Next Monday will be my day off.**

あなたのお休みの日はいつですか？
× **When is your holiday?**
○ **When is your day off?**

私は1ヶ月経っても、1日も休暇を取っていません。
× I haven't had a holiday in a month.
○ I haven't had a day off in a month.

私は、来週は休みの日がありません。
× I have no holidays next week.
○ I have no days off next week.

あなたは休みの日に何をしますか？
× What do you do on your holidays?
○ What do you do on your days off?

ネイティブのNatural English

Today is my day off.

（今日は私の休みの日です）

Drill ㊲

次の英文を自然な英文にしましょう。

❶ 昨日はあなたの休日でしたか？
Was yesterday your holiday?
_____

❷ 明日は私たちの休日です。
Tomorrow is our holiday.
_____

名詞（summer time, daylight saving time）

㊳ 夏時間

summer time

「サマータイム」という言葉をよく聞きますが、夏の間の電力供給を節約するために、いくつかの国々が設けているシステムについて言うなら、より自然な英語表現は**daylight saving time**です。ヨーロッパでsummer timeを使う人もいます。

saving（節約）という語は、夏の宵にはより**daylight**（日照量）が増すことで、**電力を節約できること**を意味しています。

アメリカでは3月の第2日曜日に時計を1時間早く進めます。調査によれば、毎日約1%の電力が節約されるとのことです。わずか1%のためにわざわざ時計を進める手間をかける必要があるのかと思うかもしれませんが、「夏に日照量が増える」という事実が、これを後押ししている主な理由です。人々は屋外での活動を楽しむことができるため、日照量が増えることを歓迎するのが一般的です。

そして、11月の第1日曜日に時計は再び1時間巻き戻されます。時間を変更するタイミングは午前2時頃とされています。ほとんどのアメリカ人、オーストラリア人が夏時間を好んでいるようです。

私が今までに話をしてきた日本人の多くは、夏時間に難色を示しているように思われます。日照時間が延びれば、外がまだ明るいうちに仕事から帰宅するのは気が引けると言う人もいます。また、夏の間、毎日1時間を減らされていると誤解している人もいるようです。

多くの日本人が心配するのは、時計の針を動かすことで生じる時間の取り違えのようですが、他の国ではほぼ混乱なく、毎年実行できているということも心に留めておいてください。

夏時間について話すとき、次の表現を参考にしてみてください。

あなたは夏時間について、どう思いますか？
How do you feel about daylight saving time?

夏時間のおかげで、電気を節約することができます。
Thanks to daylight saving time, we can save electricity.

日照量が増えることを楽しめるので、ほとんどの人々はサマータイムを好みます。
Most people like daylight saving time because they can enjoy more daylight.

ネイティブのNatural English

daylight saving time

（夏時間）

Drill 38

日本語の意味に応じて、空所を埋めましょう。

❶ サマータイムのシステムを使用している国はどこですか？
Which countries use the _____ system?

❷ なぜそんなに多くの日本人がサマータイムのシステムに反対しているのだろうか。
I wonder why so many Japanese people are against _____.

名詞 (room, house, apartment)

㊴ 私は自分の部屋を掃除しました。

I cleaned my room.

　この英文は間違いではありません。もしあなたが両親の住む家の一室を占有しているならばです。

　しかし、あなたがすでに両親の住む家を出て、自分自身の家や、アパートに住んでいるなら、**"I cleaned my house/apartment."** と言いましょう。

△　**I cleaned my room.**
○　**I cleaned** my house/apartment.

　家族と同居している場合の他に、例えば、あなたが一戸建ての家やアパートをルームメイトと共有していて、各自が一部屋を持っている時、my roomと言うことができます。

　まとめますと、あなたが両親やルームメイトと一緒に暮らしているならmy roomを、あなたが独り暮らし、またはあなたが結婚後に配偶者・子供と住んでいるなら、my house/apartmentを使いましょう。

　house、room、apartmentを用いた表現を見てみましょう。

私は、妻と子どもたちと2階建ての家に住んでいます。
私たちは今週末、私たちの家を掃除しなければなりません。
I live with my wife and children in a two-story house.
We have to clean our house **this weekend.**

私は小さなアパートで独りで暮らしています。
今日、私はアパートの自分の部屋を掃除するつもりです。
I live alone in a small apartment.
Today, I'm going to clean my apartment.

私は1つのマンションに2人のルームメイトと共同で住んでいます。
今度の日曜日に、私は部屋を掃除しなければなりません。
I share an apartment with two roommates.
This Sunday, I have to clean my room.

ネイティブのNatural English

I cleaned my house. ◯

（私は家を掃除しました）

I cleaned my apartment. ◯

（私はアパートの自分の部屋を掃除しました）

Drill 39

日本語の意味に応じて、空所を埋めましょう。

❶ 私は、両親の家に住んでいます。
明日、私は自分の部屋を掃除しなければなりません。
I live in my parents' house.
Tomorrow, I have to clean my _____.

名詞（mansion, apartment）

40 私たちはマンションに住んでいます。

We live in a mansion.

　この場合、おそらく話し手はapartmentに住んでいます。
　英語のmansionは、プールやテニスコート、5台分の車庫付きといった広大な個人の邸宅（屋敷）のことです。映画スター、会社の取締役、インターネットで富と社会的影響力を得た人のような裕福な人々が手に入れることができるものです。

例　ビル・ゲイツは大邸宅に住んでいます。
　　Bill Gates lives in a mansion.

　一般の人々の多くは一戸建て住宅かアパートなどに住んでいます。
　アパートに住んでいるとき、その新旧、大小、エレベーター付きかどうかなどは問題ではありません。いずれも単に１つのアパートです。これらの場合、建物自体が apartment buildingと呼ばれていて、各個人の世帯は apartmentsと呼ばれます。
　中にはcondominiumやcondoに住んでいるという人々もいます。これは「（賃貸ではなく）購入したマンション」を意味します。

　他にも例を見てみましょう。

うちのマンションは32世帯あります。
× 　**My mansion has 32 units.**
○ 　**My apartment building has 32 units.**

私の父はマンションを購入しました。
- ×　**My father bought a mansion.**
- ○　**My father bought a condominium.**

私たちは新しいアパートに引っ越すつもりです。
- ×　**We are going to move to a new mansion.**
- ○　**We are going to move to a new apartment.**

ネイティブのNatural English

We live in an apartment.

（私たちはマンションに住んでいます）

Drill ㊵

次の英文を自然な英文にしましょう。

❶ 私たちはマンションを売却して家を建てる予定です。
We are going to sell our mansion and build a house.

_____

❷ 私は10戸の2階建てのアパートに住んでいます。
I live in a two-story mansion which has ten units.

_____

名詞（department）

日本人のEnglish

41 私はこの服を三越デパートで買いました。

I bought this dress at Mitsukoshi department.

departmentという名詞は、いくつかの使い方があります。

1つ目は、会社の部署に関するものです。例えば「営業部」「販売部」「総務部」「経理部」「人事部」などのような部署がありますね。

2つ目は、アメリカや他のいくつかの国々ではdepartmentを政府の機関名に用いています。例えばthe State Department（国務省）、the Department of Defense（防衛省）、the Department of the Interior（内務省）などです。

3つ目は、大学においてdepartmentを学部名に用いています。例えばthe music department（音楽学部）、the science department（自然科学部）、the foreign language department（外国語学部）のように学部を表すのに使われます。

したがって、**41**の英文のように、ただMitsukoshi departmentと言うのは、意味が曖昧になってしまっています。このような場合はMitsukoshi department store、またはMitsukoshiと言いましょう。

私はこの服を三越デパートで買いました。
- × I bought this dress at Mitsukoshi department.
- ○ I bought this dress at Mitsukoshi department store.

他にも例を見てみましょう。

私はいつも藤崎デパートで買い物をします。

- × I usually shop at Fujisaki department.
- ○ I usually shop at Fujisaki department store.

小田急百貨店は今週末に大売り出しをします。

- × Odakyu department has a big sale this weekend.
- ○ Odakyu department store has a big sale this weekend.

池袋にある東武デパートには行ったことがありません。

- × I've never been to Tobu department in Ikebukuro.
- ○ I've never been to Tobu department store in Ikebukuro.

ネイティブのNatural English

I bought this dress at Mitsukoshi (department store).

（私はこの服を三越デパートで買いました）

Drill ㊶

次の英文を自然な英文にしましょう。

❶ 日本で一番有名なデパートは何ですか？
What is the most famous department in Japan?

_____

❷ あなたは京王百貨店は好きですか？
Do you like Keio department?

_____

日本人のEnglish

㊷ すみません、お手洗いはどこですか？

Excuse me, where is the toilet?

　toiletの意味は「トイレ」「トイレット」などと思っている日本人が多いですが、実は用便するために腰掛ける据え置き型の設備を意味し、日本語では「便器」にあたります。

　ですから、㊷のように **"Where is the toilet?"** と尋ねることは直接的すぎると感じる人もいます。

　レストランや公共の場などで尋ねるときは、次のような表現が望ましいです。

Excuse me, where is the restroom?
（すみません、化粧室はどちらでしょうか？）

Excuse me, do you have a restroom?
（すみません、お手洗いはありますか？）
という言い方もあります。この場合、冠詞はaを使います。

Excuse me, I'm looking for the restroom.
（すみません、お手洗いを探しています）

　この他にbathroomという語も使えます。

　次のページのような場合、より自然な表現を考えてみましょう。

＜喫茶店でスタッフに「トイレはどこですか？」と尋ねるとき＞
△　**Excuse me, where is the toilet?**
○　**Excuse me, where is the restroom?**

＜図書館で司書に「トイレはありますか？」と尋ねるとき＞
△　**Excuse me, do you have a toilet?**
○　**Excuse me, do you have a restroom?**

＜ショッピングモールで案内係に「トイレを探しています」と言うとき＞
△　**Excuse me, I'm looking for the toilet.**
○　**Excuse me, I'm looking for the restroom.**

ネイティブのNatural English

Excuse me, where is the restroom?　○

Excuse me, where is the bathroom?　○

（すみません、お手洗いはどこですか？）

Drill ⑫

友人の家でお手洗いを使わせてほしいとき、より自然な表現で言ってみましょう。

❶ **Can I use your toilet?**
＿＿＿＿＿＿＿＿＿＿＿＿＿＿＿

名詞（City, Town, Village）

43 私は仙台市に住んでいます。

I live in Sendai City.

日本語では「仙台市」と言いますので、それを英語にするとSendai Cityと思う方が多いでしょう。実はこれは誤りです。

一方、**Akita City**（秋田市）や**Fukushima City**（福島市）という言い方はできます。なぜだと思いますか？

下記の都市名を見てください。**City**を付ける都市と、**City**を付けない都市の違いがわかりますか？

仙台市	**Sendai City**	×	秋田市	**Akita City**	○
札幌市	**Sapporo City**	×	福島市	**Fukushima City**	○
那覇市	**Naha City**	×	熊本市	**Kumamoto City**	○

Akita City（秋田市）、**Fukushima City**（福島市）などの言い方がなぜ許容されるかというと、「秋田県」「福島県」という語も存在するからです。区別するために、つまり「秋田市」について話しているのか、「秋田県」について話しているのかがわかるように区別するために、**Akita City**と言う必要があるのです。

「仙台市」「札幌市」を英語で言う場合、「仙台県」「札幌県」は存在しませんので、Sendai City, Sapporo Cityと言う必要はないのです。

例えば、アメリカでは「ニューヨーク州」があるので区別するために「New York City（ニューヨーク市）」と言いますが、「シカゴ州」はないので「Chicago City（シカゴ市）」とは言いません。

「仙台市」「札幌市」などは英語で次のように言いましょう。

仙台市	○	the City of **Sendai**	×	**Sendai City**
札幌市	○	the City of **Sapporo**	×	**Sapporo City**
那覇市	○	the City of **Naha**	×	**Naha City**

さらに、「〜町」「〜村」なども次のように言いましょう。

松島町	○	the Town of **Matsushima**	×	**Matsushima Town**
おひら村	○	the Village of **Ohira**	×	**Ohira Village**
川崎町	○	the Town of **Kawasaki**	×	**Kawasaki Town**
三宅村	○	the Village of **Miyake**	×	**Miyake Village**

ネイティブのNatural English

I live in the City of Sendai. ○

（私は仙台市に住んでいます）

Drill ㊸

次の中でCity / Town / Villageの使い方が誤りのものは、正しい表現にしましょう。

❶ Fukuoka City
❷ Nagoya City
❸ Asahi Town
❹ Tokai Village
❺ Yamagata City
❻ Hirosaki City
❼ Hakone Town
❽ Shirakawa Village

日本人のEnglish

44 私はスイスを訪問する予定です。

I'm going to visit Swiss.　

　日本語と英語では、国名や都市名などの読み方が異なるものがあります。そのいくつかを紹介します。

＜日本語＞	＜英語＞
イギリス	**England / Great Britain / the UK**
スイス	**Switzerland**
ドイツ	**Germany**
韓国	**(South) Korea**
ロス	**Los Angeles (LA)**
パリ	**Paris**
ウィーン	**Vienna**
フィレンツェ	**Florence**
ベネツィア	**Venice**
ナポリ	**Naples**
トスカーナ	**Tuscany**
北京	**Beijing**

44の文の「スイス」は、英語では**Switzerland**と言います。

私はスイスを訪問する予定です。
- ×　**I'm going to visit Swiss.**
- ○　**I'm going to visit Switzerland.**

他にも例を見てみましょう。

Mozart spent the last ten years of his life in Vienna.
(モーツァルトはウィーンで人生の最後の10年間を過ごしました)

I want to go to Germany and drive on the autobahn.
(私はドイツに行ってアウトバーンで車を運転したいです)
※autobahn：ドイツの高速道路

You can see the *Mona Lisa* at the Louvre in Paris.
(パリにあるルーブル美術館でモナリザを見ることができます)

If you are going to visit England, you should exchange yen into pounds.
(イギリスに行く予定なら、円をポンドに交換すべきです)

ネイティブのNatural English

I'm going to visit Switzerland.

（私はスイスを訪問する予定です）

Drill ④

次の英文を日本語に訳しましょう。

❶ **Naples is famous for pizza.**

_____

❷ **Hollywood is a city in Los Angeles.**

_____

㊺ 品川区は東京の南にあります。

Shinagawa Ward is south of Tokyo.

south of **Tokyo**（東京の南）は「神奈川県」や「静岡県」などを意味します。同様にnorth of **Tokyo**（東京の北）は「埼玉県」や「栃木県」などを意味します。

でも「品川区」は東京都内の南部にあるわけですから、正しい英語の言い方は、次のようになります。

品川区は東京の南にあります。
Shinagawa Ward is in the south of **Tokyo.**
または、**Shinagawa Ward is** in the southern part of **Tokyo.**

例えば、東京都内の北部にある足立区については、次のように言えます。

足立区は東京の北にあります。
Adachi Ward is in the north of **Tokyo.**
または、**Adachi Ward is** in the northern part of **Tokyo.**

他にも例を見てみましょう。

New York is in the northeast of **America.**
（ニューヨークはアメリカの北東部にあります）
California is in the western part of **America.**
（カリフォルニアはアメリカの西部にあります）

そのほかに知っておくと役に立つ表現は、
「最も北／南／東／西に位置する〜」
"the northern / southern / eastern / western-most ~"
です。いくつかの例を挙げます。

Kagoshima Prefecture is the southern-most prefecture in Kyushu.
（鹿児島県は九州で最も南に位置する県です）
Aomori Prefecture is the northern-most prefecture in Tohoku.
（青森県は東北で最も北に位置する県です）
Hawaii is the southern-most state in America.
（ハワイはアメリカで最も南に位置する州です）
Alaska is the northern-most state in America.
（アラスカはアメリカで最も北に位置する州です）

ネイティブのNatural English

Shinagawa Ward is in the south of Tokyo. ○

Shinagawa Ward is in the southern part of Tokyo. ○

（品川区は東京の南にあります）

Drill ㊺

日本語の意味に応じて、空所を埋めましょう。

❶ 福岡県は九州の北部にあります。
Fukuoka Prefecture is ＿＿＿＿＿＿ Kyushu.

❷ 福島県は東北の南部にあります。
Fukushima Prefecture is ＿＿＿＿＿＿ Tohoku.

日本人のEnglish

❹⑥ 私はここへ車で来ました。

I came here by my car. ✕

上の文では、**my**は必要ありません。"**I came here by car.**" です。

✕　**I came here by my car.**
○　**I came here** by car.
　　（私はここへ車で来ました）

　とは言うものの、**by car**、**by bicycle**の**by**や、**on foot**の**on**を用いる言い方をすれば、自然な表現になるというわけではありません。下の例を見てください。前置詞よりも動詞を使うほうがより自然な表現になります。

＜通じる表現＞		＜より自然な表現＞
I came here by car.	→	**I drove here.**
		(A person drove me here.)
		私は車でここへ来ました。
Did you come here by bike?	→	**Did you ride your bike here?**
		バイクでここへ来たのですか？
Why don't we go on foot?	→	**Why don't we walk?**
		歩きましょう。
Let's go by bus.	→	**Let's take the bus.**
		バスで行きましょう。

　他にも例を見てみましょう。

あなたはここへ車で来ましたか？
△　**Did you come here by your car?**
○　**Did you drive here?**

私はそこへ歩いて行きたくありません。
△　**I don't want to go there on foot.**
○　**I don't want to walk there.**

あなたは電車に乗る予定ですか？
△　**Are you going to go by train?**
○　**Are you going to take the train?**

ネイティブのNatural English

I drove here.　○

（私はここへ車で来ました）

Drill 46

次の英文を自然な英文にしましょう。

❶ 地下鉄を利用しませんか？
Why don't we go by subway?

_____

❷ あなたは今日、あなたのオートバイで行く予定ですか？
Are you going to go by motorcycle today?

_____

名詞（patrol car, police car）

日本人のEnglish

47 警察官はパトカーに乗ります。

Police officers ride in a patrol car.

「パトカー」を英語でpatrol carと言う日本人が多いですが、ネイティブはpolice carと言います。**47**の文は、次のようになります。

Police officers ride in a police car.
（警察官はパトカーに乗ります）

　時には警察は交通違反をしている車を捕まえやすくしたり、公共の場の安全維持のために、気付かれないように走行することもあります。覆面パトカーですね。このような場合の警察車両はunmarked police cars（覆面パトカー）と呼ばれます。普通乗用車の外観で、よく高速道路で見かけます。

I often see unmarked police cars when I drive to Yamagata.
（山形に車で行く際、よく覆面パトカーに会います）

　多くの日本人は「高速道路」を英語でhighwayと言いますが、ネイティブはfreewayという語を使います。
　アメリカの高速道路の多くは無料ですが、このfreeという語は「無料」の意味とは関係ありません。「交差点や横断歩道、信号や停止線などといったものから解放されている」という意味でのfreeと言えます。
　つまり「止まらずに走行することが自由」なのです。原則としてですが。アメリカの高速道路は、時にひどい渋滞を引き起こし、歩くほうが速いということもあります。

他にも例を見てみましょう。

What is the speed limit on the freeway in Japan?
（日本の高速道路での制限速度はどうなっていますか？）

Slow down. There's a police car up ahead.
（スピードを落として。前方にパトカーがいるわ）

Whenever my son sees a police car, a fire truck, or an ambulance, he gets very excited.
（私の息子はパトカー、消防車や救急車を見ると、大はしゃぎです）

ネイティブのNatural English

Police officers ride in a police car. ○

（警察官はパトカーに乗ります）

Drill ④

日本語の意味に応じて、空所にpolice car、freewaysのいずれかを入れましょう。

❶ 日本の高速道路は通常2車線がありますが、アメリカの高速道路には多くの場合、4つまたは5つの車線があります。
Japanese _____ usually have two lanes, but American _____ often have four or five lanes.

❷ 私は道路で後ろにパトカーを見ると、いつも緊張します。
I always get nervous when I see a _____ behind me on the road.

名詞（wear, clothes）

日本人のEnglish

48 私は新しい服を買いたいです。

I want to buy new wears.

wearは通常、動詞として用いられます。人々は上着、ズボン、靴、帽子、メガネ、イヤリングなどを身につける（wear）ことができます。

しかし、服について話す時、wearの名詞形は次のような組み合わせに限られます。

spring wear （春用の服）	**casual wear** （普段着）
summer wear （夏用の服）	**formal wear** （礼服）
fall wear （秋用の服）	**leisurewear** （遊び着）
winter wear （冬用の服）	**sportswear** （運動着）

ですから、例えば「新しい服」は"new wears"と言うことはできません。自然な英語は**"new clothes"**です。

私は新しい服を買いたいです。
× **I want to buy new wears.**
○ **I want to buy new clothes.**

他にも例を見てみましょう。

私たちはモールで服をいくつか買いました。
× **We bought some wears at the mall.**
○ **We bought some clothes at the mall.**

あなたは新しい冬用の服を買う予定ですか？

× **Are you going to buy new wears for winter?**

○ **Are you going to buy new clothes for winter?**

　ここで、clothesの発音に気をつけてください。多くの生徒さんが「clozez」と言うような発音で、clothesを複数形にしようとします。服のことについて話す際に、英語にそのような発音の語はありません。

　clothesは既に複数形なのです。単数で言うときはa piece of clothingですが、例えば「セーター」「ジャケット」「パンツ」など、1品について話したいときは、a sweater、a jacket、pantsなどと言うことができます。

ネイティブのNatural English

I want to buy new clothes. ○

（私は新しい服を買いたいです）

Drill ㊽

次の英文の誤りを正しましょう。

❶ あなたはすてきな服を着ていますね。どこで購入していますか？
You have nice wears. Where do you buy them from?

_____

❷ 私は普段、新しい服をオンラインで購入しています。
I usually buy new wears online.

_____

名詞（pierce, earrings）

日本人のEnglish

㊾ 私はピアスを身に付けるのは好きじゃないわ。

I don't like to wear pierce.

通常、pierceは「穴を空ける」という意味の動詞として用いられ、例えば、次のように言うことがあります。

The needle pierced my skin.
（針が肌に刺さりました）

pierceは、過去分詞形で「穴の空いたタイヤ」を表す形容詞として使われることもあります。

How can we fix a pierced tire?
（どうしたらパンクしたタイヤを修理できますか？）

しかし、「パンクしたタイヤ」はpierced tireよりもpunctured tireやflat tireのほうが一般的です。

㊾の文のpierceは、耳に付ける宝飾品の「ピアス」を意味しているわけですから、この場合はearringsと言いましょう。

× **I don't like to wear pierce.**
○ **I don't like to wear earrings.**
　　（私はピアスを身に付けるのは好きじゃないわ）

他にも例を見てみましょう。

108

I found some nice earrings at an accessory shop.
（アクセサリーを売る店で、すてきなピアスを見つけました）
I hate it when I lose one of my earrings.
（ピアスの片方をなくすのはイヤだわ）

　関連して、「～を身に付ける」を英語で言うとき、put onが衣類やアクセサリー全般に幅広く使えます。

●put on ~（～を身に付ける）
衣類　　　　　**pants**（ズボン）　**socks**（靴下）　**shoes**（靴）
　　　　　　　a jacket（上着）　**a tie**（ネクタイ）　**a hat**（帽子）
アクセサリー　**a ring**（指輪）　**jewelry**（宝石）　**a necklace**（首飾り）

　日本語では、衣類やアクセサリーによって「履く」「着る」「被る」など、いろいろな動詞が存在しますね。身に付けたものをはずすとき、「ピアスをはずす」は英語でtake off your earringsと言います。

ネイティブのNatural English

I don't like to wear earrings.

（私はピアスを身に付けるのは好きじゃないわ）

Drill ❹❾

日本語の意味に応じて、空所にput on、take offのいずれかを入れましょう。

❶ どうぞ、手袋をはめてください。
Please _____ your gloves.

❷ 暑くてセーターを脱ぎたいわ。
It's hot. I want to _____ my sweater.

㊿ 私はフライドポテトがほしい（食べたい）です。

I want some fried potatoes.

ほとんどのアメリカ人は、日本に来る前に「フライドポテト」のことを聞いたことがなかったと言います。なぜかというと、アメリカにfried potatoesという名称のものはないからです。もしアメリカのレストランに行けば、あなたが買えるのは次のものでしょう。

a baked potato 　　（焼かれたジャガイモ）
mashed potatoes 　（つぶされたジャガイモ）
potato skins 　　　（ポテト　スキン）＊
steak fries 　　　　（ステーキ　フライズ）＊
French fries 　　　 （フレンチ　フライズ）

＊については、ネットなどで画像を検索してみてください。

日本人が**fried potatoes**と言うときは、英語のFrench friesのことをほぼ意味しているので、㊿の正しい英文は、次のようになります。

私はフライドポテトがほしい（食べたい）です。
× 　I want some fried potatoes.
○ 　I want some French fries.

昔、French friesは**French fried potatoes**と呼ばれていました。日本人はこの名前の最後の2語（fried potatoes）を残し、アメリカ人は最初の2語（French fried）から**French fries**へと変化させたようです。

他にも例を見てみましょう。

どのレストランが一番おいしいフラドポテトを出しますか？
- ×　**Which restaurant has the best fried potatoes?**
- ○　**Which restaurant has the best French fries?**

私はケチャップなしのフライドポテトは食べられません。
- ×　**I can't eat fried potatoes without ketchup.**
- ○　**I can't eat French fries without ketchup.**

ネイティブのNatural English

I want some French fries. ○

（私はフライドポテトがほしい（食べたい）です）

Drill 50

次の英文を自然な英文にしましょう。

❶ すべてのハンバーガーショップでフライドポテトを出していますよね？
Every hamburger shop serves fried potatoes, right?

_____

❷ 私たちはフライドポテトが大好きですが、実際には私たちにとって不健康です。
We love fried potatoes, but actually, they are unhealthy for us.

_____

日本人のEnglish

(51) 私の妻は専業主婦です。

My wife is a housekeeper. ×

英語のレッスンをしているときに、医師である生徒さんたちが時々、彼らの妻について(51)の英文のように言います。

housekeeperとは「他人の家の清掃をして、報酬を得る人たち」のことです。maidとも言います。しかし、医師の妻である人たちがそこまで収入を必要としているとは思えません。

生徒さんたちが言わんとしていることは、彼らの妻はhousewifeまたはhomemakerであるということでした。

とは言え、これらの2つの語は同じことを意味しているのでしょうか。必ずしもそうではありません。

housewifeと**homemaker**は似ている単語ですが、housewifeは女性のみに対して言及するもので、それは女性の主体性を奪い、単に誰かの妻であると定義づけるものだと考える人々もいます。

一方、homemakerは男性に対しても言い表せるため、より便利で、より現代に即した語でもあります。

他にも例を見てみましょう。

× **My mother is a housekeeper.**
○ **My mother is a homemaker.**
（私の母は専業主婦です）

△ **My wife is a housewife.**
○ **My wife is a homemaker.**
（私の妻は専業主婦です）

　もう1つのポイントは、1語のhomemakerと2語のhouse maker を混同しないことです。

　homemakerは「家で家族の世話をする人」のことです。house makerは「住宅を建てる会社」「住宅メーカー」です。

例　**I work for a large house maker.**
　　My company builds houses all over Japan.
　　私は大手の住宅メーカーで働いています。
　　私の会社は日本全国に家を建てています。

ネイティブのNatural English

My wife is a homemaker. ◯

（私の妻は専業主婦です）

Drill ⑤

次の英文を自然な英文にしましょう。

❶ 父は医者で、母は主婦です。
My father is a doctor, and my mother is a housewife.

_____

❷ 主婦であることは重要な仕事です、なぜならあなたは家族の ために働いているのだから。
Being a housekeeper is an important job, because you work for your family.

_____
_____

日本人のEnglish

❷ 私の父はコック（料理人）です。

My father is a cooker.

　a cookerは炊飯器や圧力鍋のような、調理に使う道具のことです。ですから、父が**a cooker**になるのはおかしいですね。
　❷の正しい言い方は、次のようになります。

○ **My father is a cook.** 　または
○ **My father is a chef.**
　　（私の父は料理人です）

　でもちょっと注意してください。**a cook**と**a chef**は違いがあります。
　a cookは「（玄人、素人を問わず）料理をする人」全般を意味します。**a chef**は「調理専門学校に通い、資格を得て、食材を適切に調理する方法を身に付けた人」「（レストランなどで）調理をする人」のことです。

　他にも例を見てみましょう。

My mother is the main cook in our house.
（私の母が、我が家で主に料理をする人です）

I prepare food in a French restaurant. I'm a chef.
（私はフランス料理店で食事を出します。私はプロの料理人です）

　また、gourmet chef（グルメシェフ）のことを聞いたことがありますか？「料理の準備と、材料の選択に非常に高いレベルのスキルを持っているシェフ」を指します。通常、高級で高価なレストランで働いています。

　これらのシェフは新しい料理を作り、新しい調理技術を開発する才能があるかもしれません。プレート上の盛り付けでgourmet chefかどうか明確にします。

ネイティブのNatural English

My father is a cook.　

My father is a chef.　

（私の父はコック（料理人）です）

Drill ㊾

日本語の意味に応じて、空所を埋めましょう。

❶ 私はプロの料理人になる勉強をしています。
I'm studying to be a _____.

❷ 私たちは、新しい炊飯器を買いたいです。
We want to buy a new rice _____.

名詞（family, siblings）

日本人のEnglish

❺❸ 私は3人家族です。

I have three families.

　想像してみるに、例えばパリに住むジョンという名前の男性がいて、妻と2人の子どもと暮らしていたとします。ジョンはロンドンに住む別の女性とも密かに結婚していて、3人の子どもがいたとします。さらにジョンはローマに住む別の女性と結婚し、1人の子どもがいたとします。

　こうなればジョンは、パリに住む妻と2人の子ども、ロンドンに住むもう1人の妻と3人の子ども、さらにローマに住む別の妻と1人の子どもというように、three familiesを持っていたと言えるでしょう。❺❸の文で言おうとしているのは、このようなことではありませんね。

　「私は3人家族です」と言いたい時は、
There are three people in my family.
と言いましょう。これには話し手自身も含まれます。

　何人家族かを人に尋ねたい場合は、
How many people are there in your family?
（あなたは何人家族ですか？）
となります。

　siblingsは「兄弟姉妹」という意味で、家族を話題にする際に役立ちます。

　尋ねるときに便利な表現は
Do you have any siblings?
（兄弟姉妹はいますか？）

＜答え方の例＞
　いる場合は、自分を含めず、他に何人いるかを伝えてください。

例1　自分以外に2人いる場合
　　　I have two siblings.
　　　（2人います）
例2　兄弟姉妹がいない場合
　　　I am an only child.
　　　（私は一人っ子です）

ネイティブのNatural English

There are three people in my family. ○

（私は3人家族です）

Drill ㊵

次の場合、それぞれ英語で言ってみましょう。

❶ 自分が5人家族の場合。
_____

❷ 1人の兄と2人の妹がいる場合。（ヒント siblingsを使って）
_____

❸ 兄弟姉妹がいない場合。
_____

54 スティーブン先生

Steven Teacher

この言い方は、明らかに直訳ですね。

日本語で「スティーブン先生」と言うことは自然ですが、英語ではそうではありません。

いくつか"先生"に関する表現を挙げてみます。

1. Steven

2. Mr. Mitchell （※名字を用いる）

3. Ms. Smith

その先生が幼稚園か小学校で教えているなら、子どもたちが**Mr. Steven**のように名前とともに言ってもかまいません。しかし、年長の児童、生徒たちが**Mr.**または**Ms.**とファーストネームで**Mr. Steven**、または**Ms. Steven**を使うのは不自然になります。

4. Professor (Purcell) （パーセル）教授

これは大学教授に対して用いるもので、（ ）の中のPurcell（パーセル）という名前は付けても付けなくてもかまいません。

5. Doctor Purcell〔Dr. Purcell〕（パーセル博士）

これは博士号を有している先生に対して用いるものです。

英語はフランクなところがある言語で、学生たちは教師、大学教授に対して、下の名前で呼ぶこともあります。それは教師と生徒、学生との関係性や、その教師の人柄などによるものです。私の場合、生徒には私のことを**Steven**と呼ぶようにお願いしています。

他にも例を見てみましょう。

・昼間、大学のJones教授にあいさつ。
Hello, Professor Jones.（こんにちは、Jones教授）

・昼間、女性のSpringsteen先生にあいさつ。
Hello, Ms. Springsteen.（こんにちは、Springsteen先生）

・夜、大学のThomson博士にあいさつ。
Good evening, Doctor Thomson.（こんばんは、Thomson博士）

ネイティブのNatural English

Steven / Mr. Mitchell ○

（スティーブン先生／ミッチェル先生）

Drill (54)

それぞれ先生たちの名前を呼んで、あいさつしてみましょう。

❶ Steven Mitchell 先生にくだけた感じであいさつ。

____

❷ 朝、Lisa Smith 先生にあいさつ。

____

Food

　世界中の人々に愛される「日本食」ですが、ベジタリアンにとって日本はとても外食をしづらい国だということを皆さんは知っていますか。メインメニューのほぼ全てに肉や魚が多少なりとも使われているお店が多いためです。これはレストランの種類を問わず、日本料理でもイタリア料理でもフランス料理でもいえることです。

　ベジタリアンにとって悩ましいのが、メニューに標記されていなくても肉や魚が入っていることがよくあるという状況です。

　例えば「野菜サンドイッチ」なのにハムが入っていたりします。アメリカであればham and vegetable sandwich（ハム野菜サンド）と標記されるでしょう。

　以前、私が友人とピザ屋で食事をした時のこと。友人はベジタリアンでした。彼は「チーズだけのプレーンピザ」とメニューに記載のあるものを注文しました。メニューの名前から、私たちはチーズだけが乗っているシンプルなピザを想像していました。しかし、出されたピザの上にはたくさんのソーセージがトッピングされていたのです。最初は、誤って違う種類のピザが出されたのだと思いました。確認すると、これがまさしく「チーズだけのプレーンピザ」だというのです。私たちは抗議しましたが、とりあってもらえず、結局チーズだけが乗っているピザは食べられませんでした。

　別のイタリアンレストランでサラダを注文した時のこと。私はスタッフに「このサラダには肉や魚介類は入っていませんか？」と尋ねました。彼は「入っていません。」と答えました。念のため「ベーコンも入っていませんよね。」と確認すると、彼は「ベーコンは入っています。」と答えました。どうやら彼にとって「ベーコン＝肉」ではなかったようです。

　これは外国人のベジタリアンにとって非常に紛らわしいです。人が肉や魚を食べないのには色々な理由があります。宗教上の理由から食べられない人や、食物アレルギーの人もいます。

　このように、ベジタリアンの外国人にとって、食事は大きな問題の1つです。

Gestures

　世界中の人々が、自分の体を使って他の人々へメッセージを送っています。しかし、多くの人々は世界の色々な地域で様々なジェスチャーが使用されていることに気づいていません。

　例えば、ある国の「はい」の合図は、別の国では「いいえ」を意味し、ある文化で「さようなら」の手のしぐさは、別の国では「ここに来なさい」を意味する場合があります。

　メッセージを伝えるのは「手」や「腕」だけではありません。私たちの「目」もそうです。

　ある時、私は日本の中学校と高校の英語教師 (JTE) を対象としたセミナーを教えていました。私は通常、ただ講義をするのではなく、よりインタラクティブなアプローチを好みます。ただし、セミナーの一部で私がひとりで長く話す必要がある場合もありました。そんな時は多くの人が目を閉じていることに気づきました。彼らが退屈しているか眠っていると思って、私は嫌な気分になり始めました。

　授業の後に、私は教育委員会の担当者に苦情を言いました。「今日の講義がうまくいったとは思わない。多くの人たちは眠っているようだった。」と。すると「いいえ、彼らは目を閉じて、あなたの言っていることに集中していたんです。彼らはあなたの講義をよりよく理解するために気を散らすものを遮断しようとしたのです。」

　それを聞いて、私の教室で英会話の個人レッスンをしている時、リスニングの練習中に生徒が目を閉じることがあったことを思い出しました。このように目を閉じることで、生徒がリスニング上達のための重要なジェスチャーやヒントを見逃していたので、これは講師である私をイライラさせました。彼らはただ集中しようとしていたのだと思います。

　それでも、話を聞くときは目を開けたままにして、手のジェスチャーや、その他の手がかりを見て、より多くの役立つ情報をキャッチしたほうがよいと思います。

形容詞（deliciousなど）と副詞（very, so, really）

55 その食べ物はとてもおいしかったです。

The food was very delicious.

55の英文がなぜ不自然なのかを理解するためには、veryという語を理解する必要があります。

veryは「〜以上」を意味します。例えば、**very good**と言うときは「良い」という水準以上を意味します。

まず、good, bad, big, beautiful、tastyといった、基本となる形容詞があります。

もし、これらの語を強調したければ、veryという語を使う必要があります。それぞれ次の段階のvery good, very bad, very big, very beautiful、very tastyと言えますね。

そして次の段階では、**very good**はgreatになり、**very bad**はterribleに、**very big**はhugeに、**very beautiful**はgorgeousに、そして**very tasty**はdeliciousになります。

しかし、その上はありません。great、terrible、huge、gorgeous、deliciousなどの水準を上回る形はないのです。このことから、**very delicious**、**very gorgeous**などと言うことは不自然になります。

一方、reallyやsoなどは「〜以上」を意味するものではありません。むしろ、それらは、話し手があることについて強い感情を持っていることを示しているのです。

The food was really delicious.
（あの食べ物は本当においしかった）

Lisa is so gorgeous.
（リサは本当にすてきな人だわ）

ですから、reallyとsoはどちらの段階にも用いることが可能です。

例　**Our new car is really great.**
（私たちの新車は本当にすばらしいものです）

The weather today is so terrible.
（今日の天気はとても悪いです）

もう一つ、注意してほしい語はfunです。この語は**very fun**と言うことはできませんが、**really fun**や**so fun**と言うことはできます。

例　**The concert was really/so fun.**
（そのコンサートはすごく楽しかったです）

ネイティブのNatural English

The food was really delicious. ○

（その食べ物はとてもおいしかったです）

Drill ⑤

次の英文の誤りを正しましょう。

❶ あなたのダイヤモンドの指輪はすばらしいわ。
Your diamond ring is very gorgeous.

_____

❷ そのお屋敷はとても巨大です。
The house is very huge.

_____

56 これはバイキングタイプのレストランです。

This is a Viking restaurant.

　例えば**French restaurant**と言えば、それは「フランス料理を提供するレストラン」を意味します。

　同じ理屈でいけば、**Viking restaurant**と言えば「バイキング料理を提供するレストラン」ということになりますよね。でも「バイキング料理？　それって何？」ということになってしまいます。

　56の文の正しい英文は、次のようになります。

This is a buffet-style restaurant.
（これはビュッフェ形式のレストランです）

　buffetはフランス語由来で、今では英語になっているものです。発音に注意してください。日本人の多くはフランス語の発音に近い「ビュッフェ」と言いますが、アメリカ人の発音は、「バフェット」となります。

I like buffet-style restaurants.
（私はビュッフェ形式のレストランが好きです）

　"食べ放題"や"飲み放題"の店を表す便利な表現は、
an all-you-can-eat restaurant（食べ放題のレストラン）
an all-you-can-drink bar（飲み放題のバー）
などです。

　他にも例を見てみましょう。

食べ放題のサラダ・バーを注文しましょう。
Let's order the all-you-can-eat salad bar.

私は飲み放題コースを選ぶつもりです。
I'm going to choose the all-you-can-drink course.

私たちはビュッフェ形式のランチにするつもりです。
We're going to get the buffet-style lunch.

ネイティブのNatural English

This is a buffet-style restaurant.

（これはビュッフェ形式のレストランです）

Drill 56

日本語の意味に応じて、空所を埋めましょう。

❶ 私のお気に入りのレストランは、以前はビュッフェ形式でしたが、今では変わってしまいました。
My favorite restaurant used to be ＿＿＿＿＿＿＿, but now, it has changed.

❷ ほとんどのサラダ・バーは食べ放題ですよね？
Most salad bars are ＿＿＿＿＿＿＿, right?

日本人のEnglish

57 私は楽しかったです。

I was fun.

この英文を訂正する方法は2つあります。

＜1＞ I had fun.
　　　私は楽しかったです。〔主語（人）＋had fun〕

＜2＞ It was fun.
　　　それは楽しかったです。〔主語（出来事）＋was fun〕

1の "**I had fun.**" では、funは名詞です。
2の "**It was fun.**" では、funは形容詞です。

他にも例を見てみましょう。

私たちはディズニーランドで楽しく過ごしました。
× **We were fun at Disneyland.**
○ **We** had fun **at Disneyland.**

みんながあなたの誕生日パーティーで楽しく過ごしました。
× **Everybody was fun at your birthday party.**
○ **Everybody** had fun **at your birthday party.**

私はここでとても楽しんでいます。
× **I'm being a lot of fun here.**
○ **I'm having a lot of** fun **here.**

126

そのコンサートは楽しいでしょう。

× **The concert will have fun.**

○ **The concert will be fun.**

私は、あなたがハワイで楽しく過ごすよう祈っています。

× **I hope you will be fun in Hawaii.**

○ **I hope you will have fun in Hawaii.**

今日、楽しかった人は誰ですか？　手を挙げてください。

× **Who was fun today? Raise your hand.**

○ **Who had fun today? Raise your hand.**

ネイティブのNatural English

I had fun.　◯

（私は楽しかったです）

Drill ⑰

（　　）内のうち、正しいほうを選びましょう。

❶ それは楽しかったです。
It (was / had) fun.

❷ 子どもたちは、学校で楽しく過ごしました。
The kids (were / had) fun at school.

日本人のEnglish

❺❽ 私は退屈しています。

I am boring.

　この英文は、話し手である「私」が「興味が持てない人」とか「おもしろくない人」であるという意味になってしまいます。しかし、それは話し手が言いたかったことではないでしょう。

　英語では「edとingの語尾を持ち、両方の用法を持つ形容詞（または動詞）」がいくつかありますが、その使い方に注意してください。下に3つの例があります。

bored (退屈させられている)　　**boring** (退屈させている)
tired (疲れさせられている)　　**tiring** (疲れさせている)
excited (興奮させられている)　　**exciting** (興奮させている)

「人」がどう感じているかについて話すなら、ed形を使ってください。

例　**I am** tired.　または　**I feel** tired.
　　（私は疲れています）

「何か」がどのようなものなのかについて話すなら、ing形を用いてください。

例　**My job is** tiring.
　　（私の仕事は疲れます）

　したがって、❺❽の英文の正しい表現は "**I am** bored." となります。

他にも例を見てみましょう。

この本はおもしろいです。
私はそれに興味があります。

This book is interesting.
I am interested in it.

私たちはアクション映画を観ました。
私たちは興奮しました。
その映画は興奮させるものでした。

We saw an action movie.
We felt excited.
The movie was exciting.

私たちのチームは負けました。
それは残念なことでした。
私たちはがっかりしました。

Our team lost.
It was disappointing.
We felt disappointed.

ネイティブのNatural English

I'm bored.

（私は退屈しています）

Drill 58

（　　）内のうち、正しいほうを選びましょう。

❶ 数学はややこしいです。
　私は混乱させられるなぁと感じます。
Math is (confused / confusing).
I feel (confused / confusing).

59 開店／閉店

Open / Close

　お店の営業時間中に、ドアに"Open"という標示を出しておくのは正しい使い方です。

　日本のお店では、営業時間終了後に"Close"と書かれた標示がよく出ていますが、これは間違った使い方です。

closeという語には2つの意味があります。

＜1＞　動詞closeは何かを「閉じる」ことを意味します。

　　例　**Please close the door.**
　　　　（どうぞドアを閉めてください）

＜2＞　形容詞closeは「近い」という意味です。

　　例　**I live close to school.**
　　　　（私は学校の近くに住んでいます）
　　　　My house is close to the station.
　　　　（私の家は駅の近くです）

　お店の営業時間終了後の正しい英語標示は"Closed"です。このように過去分詞形が用いられなければなりません。

　一方、動詞openはこれとは異なり、過去分詞形のopenedが営業時間内の標示に用いられることはありません。

他にも例を見てみましょう。

その銀行は午前9時から午後3時まで営業しています。
The bank is open from 9:00 a.m. to 3:00 p.m.

すみません、閉店です。どうぞまたお越しください。
Sorry, the store is closed. Please come back again.

ネイティブのNatural English

Open / Closed ○

（開店／閉店）

Drill (59)

日本語の意味に応じて、空所に単語を入れましょう。

❶ どうぞドアを閉めてください。
Please ______________ the door.

❷ お盆期間中、このお店は閉まっていますか？
Is this store _________ during Obon?

形容詞 (popular, common)

⓬ インフルエンザが流行っています。

Influenza is popular.

popularという語は、日本語では「人気がある」とよく訳されます。
例えば「ルーズソックスは1990年代に人気があった」は
"Loose socks were popular in the 1990s." と言えます。当時、多くの女子高校生が履いていましたね。

このように多くの人々が好んでいるものが「人気のあるもの」になります。

しかし、人々はインフルエンザを好むでしょうか。もちろんそんなことはありません。このような場合、

Influenza is common.
(インフルエンザが広まっている)

のように、冬になると多くの人が罹るために「インフルエンザが流行する」という言い方をします。

また、popularはwithやamongなどの前置詞を伴います。ネイティブは「人」に対してwithを使う傾向があります。

John is popular with the girls.
(ジョンは女子の間で人気があります)
Tomoe is popular with her classmates.
(トモエはクラスメートの間で人気があります)

この場合、ジョン、トモエは「人」なので、**with**と共に用います。

amongは、意見や概念のような「物事」に対して用います。

The new policy is quite popular among working mothers.
(その新しい政策は、働く母親たちの間で非常に支持されています)
K-pop is very popular among many Japanese young people.
(Kポップは日本の多くの若者の間でとても人気があります)
Social media is very popular among young people.
(ソーシャルメディアは若者の間でとても人気があります)

このようにwithまたはamongを使い分けることで、話し手の言いたいことがより理解されやすくなるでしょう。

ネイティブのNatural English

Influenza is common.

（インフルエンザが流行っています）

Drill ⑳

日本語の意味に応じて（　）内の正しいほうを選びましょう。

❶ 交通事故がより増えています。
Traffic accidents are becoming more (popular/common).

❷ 夜中まで働くことは、私の父にとって、よくあることです。
Working until midnight is (popular/common) for my father.

❻❶ 日本は安全な国です。

Japan is a safety country.

　safetyは名詞です。したがって、countryを修飾する語として用いることはできません。ここで必要なものは形容詞safeです。❻❶の正しい英文は、次のようになります。

× 　**Japan is a safety country.**
○ 　**Japan is a safe country.**
　　（日本は安全な国です）

　次のsafeの名詞形、形容詞形、副詞形の使い方を見てください。

名詞　　**My favorite thing about Japan is the safety.**
　　　（日本について、私の気に入っているところは<u>安全性</u>です）

形容詞　**Have a safe trip.**
　　　（道中ご無事で〔<u>安全な</u>旅をしてください〕）

副詞　　**Please drive safely.**
　　　（どうぞ<u>安全に</u>運転してください）

　safety、safe、safelyを使った例を見てみましょう。

I wish you didn't drive so fast. I worry about your safety.
（あなたがあまり速く運転しないことを望みます。あなたの身の安全が心配です）

I'm a safe driver. I've never had an accident.
（私は安全な（信頼できる）運転手です。一度も事故を起こしたこと
はありません）

Kids must learn to cross the street safely.
（子どもたちは道路を安全に横断できるようにならなければなりま
せん）

ネイティブのNatural English

Japan is a safe country. ○

（日本は安全な国です）

Drill ❻❶

日本語の意味に応じて、空所にsafe, safety, safelyのいず
れかを入れましょう。

❶ 私はいつも安全に自転車に乗ります。
I always ride my bicycle _____.

❷ 労働者の安全は、私たちの会社においてとても重要です。
Worker _____ is very important in our company.

❸ 幼い子どもたちがかんしゃく玉（爆竹）で遊ぶのは安全なの
ですか？
Is it _____ for young children to play with firecrackers?

「数量」を表す（many, much, few, little）

㉒ 多くの友人たちがパーティーに来てくれました。

Many my friends came to the party.

　この英文は、**many**の後ろに**of**を入れるとOKです。正しくは、次のようになります。

× **Many my friends came to the party.**
○ **Many of my friends came to the party.**
　（多くの友人たちがパーティーに来てくれました）

few（少ししかない）という語についても同様です。

× **Few my classmates can speak English well.**
○ **Few of my classmates can speak English well.**
　（クラスメートで英語を上手に話せる人はわずかしかいません）

　manyとfewは上記のようにfriendsやclassmatesなどの可算名詞と共に用い、muchとlittleは次のように不可算名詞と共に用います。

例 **Much of our time is spent fixing problems.**
　（私たちの時間の多くが問題解決に費やされます）
　Little of your effort has been rewarded.
　（あなたの努力はほどんど報われていません）

　他にも例を見てみましょう。

Many of my coworkers don't like their job.
（私の同僚の多くは自分たちの仕事が好きではありません）

Few of my friends helped me.
（私を助けてくれる友人はほとんどいませんでした）

Much of our effort was wasted.
（私たちの努力の多くは無駄でした）

Little of your hard work paid off.
（あなたの懸命な働きはほとんど報われませんでした）

ネイティブのNatural English

Many of my friends came to the party. ◯

（多くの友人たちがパーティーに来てくれました）

Drill ❻❷

日本語の意味に応じて、空所にMany, Much, Few, Little ofのいずれかを入れましょう。

❶ 日本の石油の多くは中東から来ています。
_____ **Japan's oil comes from the Middle East.**

❷ 私たちのお皿の多くは地震で壊れました。
_____ **our dishes were broken in the earthquake.**

❸ 私の成功のほとんどは幸運によるものではない。
_____ **my success is due to luck.**

❹ 私のまわりでポジティブな考え方をする人はわずかしかいない。
_____ **the people around me are positive thinkers.**

「数量」を表す（much, many, a lot of）

❻❸ 私は今夜、時間がたくさんあります。

I have much time tonight.

　この文のように「量」が話題になるとき、ネイティブはmuchではなくa lot ofを使います。

○　**I have** a lot of **time tonight.**
　　（私は今夜、時間がたくさんあります）

　muchと**many**は通常、否定文と疑問文に用いられます。

否定文　**I don't have** much **money.**
　　　　（私はあまりお金がありません）

疑問文　**Do you have** many **friends?**
　　　　（あなたは友人がたくさんいますか？）

　muchはmoneyやtimeなどのような不可算名詞に用い、**many**はfriendsやpeopleのような可算名詞に用いられます。

　lots ofは、a lot ofと意味がほぼ同じで、この2つの使い分けを意識する人はほとんどいません。

　他にも例を見てみましょう。

Did many **people come to your party?**
（パーティーに多くの人が来ましたか？）

I have a lot of homework to do tonight.
（私は今夜やるべき宿題がたくさんあります）

I'd like to go shopping with you, but I don't have much money to spend.
（あなたと一緒に買い物に行きたいのですが、使えるお金をそんなに多く持っていないんです）

ネイティブのNatural English

I have a lot of time tonight.

（私は今夜、時間がたくさんあります）

Drill ❸

日本語の意味に応じて、空所にmany, much, a lot ofのいずれかを入れましょう。

❶ 私はクリスマスのためにする買い物がまだたくさんあります。
I still have _____ shopping to do for Christmas.

❷ 時間があまりないので、集中してこの仕事を終わらせましょう。
We don't have _____ time, so let's focus and get this job done.

❸ 私は友達がたくさんいないまま育ちました。
I didn't have _____ friends growing up.

64 アメリカ人のほとんどが銃を所有していますか？

Do most of Americans have guns?

mostの後に名詞が続く時は、ofは必要ありません。⑭の正しい英文は、次のようになります。

＜名詞と共に用いるとき＞

× **Do most of Americans have guns?**

○ **Do most Americans have guns?**
（ほとんどのアメリカ人は銃を所有していますか？）

× **Most of people don't like violence.**

○ **Most people don't like violence.**
（ほとんどの人々は暴力を良しとしません）

× **Do most of Japanese people drive Japanese cars?**

○ **Do most Japanese people drive Japanese cars?**
（ほとんどの日本人は日本車を運転しますか？）

× **Most of people in the world don't want war.**

○ **Most people in the world don't want war.**
（世界のほとんどの人は戦争を望んでいません）

しかし、us（私たち）、them（彼ら）、our（私たちの）、that（あれ）などの代名詞と共に用いる場合はofが必要です。

＜代名詞と共に用いるとき＞
Most of them have guns.
（彼らのほとんどは銃を所有しています）
Most of us don't like violence.
（私たちのほとんどが暴力を嫌います）
Most of our money is gone.
（私たちのお金のほとんどがなくなってしまいました）
Most of that is not true.
（そのことの大半は真実ではありません）

---- ネイティブのNatural English ----

Do most Americans have guns?

（アメリカ人のほとんどが銃を所有していますか）

Drill ❻❹

日本語の意味に応じて、空所に語句を入れましょう。

❶ ほとんどの日本人はアニメーションが好きですか？
Do _____ Japanese people like animation?

❷ あなたの仕事の資料の大半がなくなってしまいました。
_____ your work has been lost.

❻❺ 日本人のほとんどが携帯電話を持っています。

Almost Japanese people have mobile phones.

almostは副詞で、「もう少しで〜するところ」という意味です。動詞を修飾するものです。したがってこの英文はこのままだと意味をなしません。次のようにalmostにallという語を付ければ、主語のJapaneseを修飾することができます。

＜almost＋all＋名詞＞
Almost all Japanese people have mobile phones.
（日本人のほとんどが携帯電話を持っています）
Almost all new cars are eco-friendly.
（ほぼ全ての新車が環境に配慮したものになっています）

このようにalmostと名詞の間にはallという語が必要になります。

しかし、everyやnoなどを含む語と共に用いる場合は、それらがallに取って代わるものとなり、もはやallを使う必要はありません。いくつかの例を挙げます。

＜almost＋every/no＋名詞＞
Almost every student did well on the test.
（ほぼどの生徒もテストでよく頑張りました）
Almost no one had any complaints.
（ほとんど誰も不満を持ちませんでした）

他にも例を見てみましょう。

Almost every customer was satisfied.
（ほぼどの顧客も満足していました）
Almost nobody I knew was at the party.
（そのパーティーで私の知っている人はほとんど誰もいませんでした）
Almost all the players were exhausted.
（選手のほぼ全員が疲労していました）
Almost all students hate taking tests.
（生徒たちのほぼ全員がテストを受けることを嫌います）

ネイティブのNatural English

Almost all Japanese people have mobile phones.

（日本人のほとんどが携帯電話を持っています）

Drill ⑥⑤

日本語の意味に応じて、空所にAlmostまたはAlmost allを入れましょう。

❶ ほぼ全てのお客様にご満足いただきました。
　_____ the customers were satisfied.

❷ ほぼ全員が笑顔で立ち去りました。
　_____ everyone left with a smile on their face.

「程度」を表す副詞（hard, hardly）

66 私は一生懸命、働きます。

I work hardly.

　この文は「自分は一生懸命に働く」と言おうとしていると思いますが、実はこの英文では「私はほとんど仕事をしていない」という意味になってしまいます。

　hardlyは「満足に（十分に）～しない」「ほとんど～しない」を意味します。

例　**Please speak louder. I can hardly hear you.**
　　（もっと大きな声で話してください。あなたの言うことがほとんど聞こえません）

　　My seat was far away, so I could hardly see the band on stage.
　　（私の席は遠くて、ステージにいるバンドはほとんど見えませんでした）

　一方、everを伴ってhardly everの形で用いられると「ほとんど～しない」を意味します。

例　**We hardly ever see each other these days.**
　　（私たちは、ここ最近ほとんど会っていません）

「私は一生懸命働く」と言いたい時は**hard**を使いましょう。

× **I work hardly.**

○ **I work hard.**

    (私は一生懸命働きます)

  他にも例を見てみましょう。

To win, you have to practice hard.

(勝つためには、あなたは一生懸命に練習しなければなりません)

  hardは形容詞にも副詞にもなります。ですからhardにlyを付ける必要はありません。

  同じようにfastも形容詞、副詞になります。

例 **You speak too fast.**

    (あなたは話すのが速すぎます)

ネイティブのNatural English

I work hard. ○

(私は一生懸命、働きます)

Drill 66

日本語の意味に応じて、空所に語句を入れましょう。

❶ 私はめったにボーリングに行きません。
I _____ ever go bowling.

❷ 楽しんでね、そしてあまり一生懸命に働かないようにね。
Have fun, and don't work too _____.

日本人のEnglish

❻❼ 私のカナダ人のホストファミリーは親切でした。

My Canadian host family was kindly.

　例文のような場合、be動詞のwasのあとには形容詞kindがきます。正しくは、次のようになります。

＜形容詞　kind＞
My Canadian host family was kind.
（私のカナダ人のホストファミリーは親切でした）

　一般動詞を含む文であれば、副詞kindlyを用いることもできます。

＜副詞　kindly＞
My host family treated me so kindly.
（私のホストファミリーは私にとても親切にしてくれました）

They spoke kindly to me.
（彼らは私にやさしく話しかけてくれました）

You kindly helped me.
（あなたは親切にも私を助けてくれました）

　他にも例を見てみましょう。

I want to marry a person who is kind.
（私は優しい人と結婚したいです）
Please be kind to animals.
（どうか動物たちに優しくしてあげてください）

My wife doesn't treat me kindly.
（私の妻は私に優しくしてくれません）
A young man kindly gave his seat to an old woman on the bus.
（若い男性が親切にもバスの中で高齢の女性に席を譲りました）

ネイティブのNatural English

My Canadian host family was kind.

（私のカナダ人のホストファミリーは親切でした）

Drill ⑰

日本語の意味に応じて、空所にkindまたはkindlyを入れましょう。

❶ クライアントは親切にも会議の時間を変更することに同意してくれました。
The client _____ agreed to change the time of the meeting.

❷ 私たちは周りの人々に親切でなければなりません。
We should be _____ to the people around us.

日本人のEnglish

68 あなたはとても才能のある人です。

You are so talented person.

soは副詞です。副詞は動詞、形容詞、他の副詞を修飾しますね。

この文では、soはpersonを修飾しようとしていますが、personは名詞ですので、副詞soは名詞personを修飾することはできません。

68の文は、次の2つのように表すことができます。

1　**You are so talented.**
（あなたはとても才能があります）

2　**You are such a talented person.**
（あなたはとても才能のある人です）

68の文のようにsoを使いたい場合は、その後に形容詞のみを続けて、**so talented**、**so beautiful**のように表しましょう。

もし「形容詞＋名詞」の形（talented person, beautiful womanなど）が続く場合は、**such a / such an**を使ってください。

1　**She is so beautiful.**
（彼女はとてもきれいです）

2　**She is such a beautiful woman.**
（彼女はとてもきれいな女性です）

他にも例を見てみましょう。

＜so＋形容詞＞
The test was so difficult.
（テストはとても難しかったです）
The story was so unique.
（その物語はとても独特なものでした）

＜such a / such an＋形容詞＞
I have such a big headache.
（私はとてもひどい頭痛がします）
It was such an interesting movie.
（それは非常に興味深い映画でした）

ネイティブのNatural English

You are so talented. ○
（あなたはとても才能があります）

You are such a talented person. ○
（あなたはとても才能のある人です）

Drill ⑱

日本語の意味に応じて、空所にsoまたはsuch aを入れましょう。

❶ あなたはとても速い車を運転しますね。
You drive _____ fast car.

❷ ランボルギーニはとても速いです。
Lamborghinis are _____ fast.

「程度」を表す副詞（SO-SO）

❻❾ まあまあ。

So-so. ✕

　「週末はどうでしたか？」と生徒さんたちに尋ねたとき、多くの人が "**So-so.**" とよく答えていました。彼らの週末が楽しいものであったとしてもです。しばらく経って私は、彼らが "**So-so.**" は「まあまあ」という意味だと思っていることがわかりました。

　英語の辞書では**so-so**を「良くも悪くもない」と定義していますが、多くのネイティブにとって**so-so**は良いことを伝える語だという印象はありません。

　例えば、誰かが私に「先週観た映画はどうでしたか？」と尋ねて、私が英語で "**So-so.**" と答えれば、「私はその映画をそれほど楽しんだわけではなく、誰かにすすめるつもりはない」ということを暗に伝えているのです。

　一方で、もし私が日本語で「その映画はまあまあでした」と言えば、それはいくらか肯定的な気持ちを含むことになるでしょう。

　私は "**So-so.**" と「まあまあ」を次のように説明します。

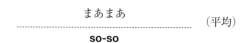

　英語で "**So-so.**" よりも、より肯定的な気持ちを表したいなら、"**Not bad. / Pretty good.**" と言うことができます。

I didn't really like the menu of the restaurant. It was so-so.
The atmosphere was pretty good. It was not bad.
(そのレストランのメニューは気に入りませんでした。それほど良くな
かったんです。雰囲気はまあまあ良かったです。悪くなかったです)

ちなみに "So-so." は、主にHowで始まる疑問文に答えるのに適
しています。
How was your weekend? (週末はいかがでしたか？)
How is your new job?　（新しい仕事はどうですか？）
How was the concert?　（そのコンサートはどうでしたか？）

一方、"So-so." は、例えば "Did you have a good weekend?"
のような疑問文に対する返事としては使用できません。このような
質問には "Yes, I did. / No, I didn't." と答えましょう。

ネイティブのNatural English

Not bad. / Pretty good. ○

（悪くないです／まあまあ良いです）

Drill ㊿

日本語の意味に応じて空欄にso-soかnot badを入れましょう。

ホテルのサービスは良かったです。悪くなかったです。でも、
私たちの部屋は小さかったです。それほど良くはなかったです。
The service at the hotel was O.K. It was _____.
But our room was small. It was _____.

「時間」を表す（朝、昼、夜）

⑦ 私はたいてい午前1時に寝ます。

I usually go to bed at 1:00 at night.

　morningは何時から始まるのかと思ったことはありますか？私は生徒さんたちに何度もこの質問をしてきました。たいてい彼らは、朝は日の出とともに始まると言います。でもそうなると、季節によって朝の始まりが異なるということになってしまいます。

　アメリカでは、朝、昼、晩、夜は、もっと明確にされています。多くの人々が次のように解釈しています。

morning（朝、午前）　　午前1時0分～午前11時59分
afternoon（午後）　　　午後12時1分～午後4時59分
evening（夕方）　　　　午後5時0分～午後8時59分
night（夜）　　　　　　午後9時0分～午前0時59分

　morning, **afternoon**と**evening**は**in the**を付けて用い、**noon**や**night**や**midnight**に**at**が用いられます。
　12:00 p.m. は**noon**（正午）で、**12:00 a.m.** は**midnight**（真夜中）です。

例　in the ～　**7:00 in the morning**（朝7時）
　　　　　　12:30 in the afternoon（午後12時30分）
　　　　　　6:00 in the evening（夕方6時）

　　at ～　　**at noon**（正午に）
　　　　　　10:30 at night（夜10時30分）
　　　　　　at midnight（真夜中に）

　朝、午後、夕方、夜の開始時刻を考えると、私にとってそれほど明確ではないのは夕方だけです。

　「夕方は午後5時から始まる」と言うアメリカ人もいれば、「午後6時から始まる」と言うアメリカ人もいます。これはその季節に基づいて考えます。夏は日が長くなると夕方は午後6時から始まります。しかし、冬は暗くなるのが早いので夕方は午後5時からになることがあります。

ネイティブのNatural English

I usually go to bed at 1:00 in the morning.

（私はたいてい午前1時に寝ます）

Drill ⑩

それぞれの時刻に応じて、in the morning, in the afternoon, in the eveningまたはat night, at noon, at midnightのいずれかを書きましょう。

❶ 12:00 a.m. = _____

❷ 3:00 p.m. = _____

❸ 2:30 a.m. = _____

❹ 12:00 p.m. = _____

❺ 11:00 p.m. = _____

❻ 7:30 p.m. = _____

---

71 店は午後9時に閉まります。

The store closes at 21:00.

21:00（トゥェンティーワン　ハンドレッド）は、24時間表示の時計として知られていますが、国によっては、例えばアメリカでは軍用時刻として知られています。この様式はアメリカの軍隊や航空業界、救急医療サービスなどの分野で用いられています。というのも誤解の許されない世界だからです。

例えば、もし軍隊が**21:00**の代わりに、ただ**9:00**とだけ言えば、何らかの取り違えが起こる可能性があります。そのために24時間表示を使うのです。

この24時間表示時計は、少なくともアメリカでは日常生活の中で用いられることはあまりありません。12時間表示を使用し、a.m.またはp.m.を付けて言うほうがより自然です。

したがって、**23:00**（トゥェンティースリー　ハンドレッド）と言うよりも、11:00 p.m.と言うようにしましょう。**in the morning, in the afternoon, in the evening, at night**を使うこともできます。

ただ、a.m.とin the morningや、p.m.とat nightを併用することはできませんので注意しましょう。"**11:00 a.m. in the morning**"と言うのは誤りです。

例　22:30　→　**10:30** p.m.
　　20:00　→　**8:00** p.m.
　　14:30　→　**2:30** p.m.
　　25:00　→　**1:00** a.m.

　私が日本で見た奇妙なことは、**25:00**または**26:00**です。一部の
コインランドリーなどでは、このように掲示されています。これは
「午前1時」または「午前2時」まで開いているということだと理解で
きますが、私には奇妙に見えます。25時間または26時間で時間を考
える人はいないと思います。

―――― ネイティブのNatural English ――――

The store closes at 9:00 p.m.

（店は午後9時に閉まります）

Drill ⑦

それぞれの時刻に応じて、in the morning, in the afternoon,
in the evening, at night, noonまたはmidnightのいずれかを
書きましょう。

❶ 22:30 → _____

❷ 18:30 → _____

❸ 16:00 → _____

❹ 24:00 → _____

72 私たちは、あと2時間必要です。

We need more two hours.

　この誤りも、おそらく直訳から生じたものでしょう。下の英語と日本語の表を見てください。

あと	2	時間
more	two	hours

× **more two hours**
○ **two** more **hours**

　このように英語ではmore two hoursとは言えず、**two more hours**と言います。他に例を挙げます。

one more **time**　　　　（もう1回）
three more **days**　　　（あと3日）
ten more **years**　　　（もう10年）
six more　　　　　　　（あと6つ）

　このように、数字が最初に来て、その後にmoreが続きます。

　形容詞の順序を考えるとき、数字が最初に来ます。次の例を見てください。

one **strange thing**	（1つの奇妙なこと）
two **small problems**	（2つの小さな問題）
three **lonely people**	（3人の孤独な人々）
four **energetic kids**	（4人の元気な子供達）
five **sunny days**	（5日間の晴れた日々）
six **unanswered questions**	（6つの未回答の質問）

英語では、形容詞の順序は次の順序である必要があります。
量-意見-サイズ-年齢-形-色-起源-材料-目的の名詞
したがって、このようになります。
"one fantastic little new round blue American plastic flying Frisbee."

ネイティブのNatural English

We need two more hours. ○

（私たちは、あと2時間必要です）

Drill ⑫

日本語の意味に応じて、空所を埋めましょう。

❶ もう1週間 　＿＿＿＿＿　＿＿＿＿＿

❷ あと20円 　＿＿＿＿＿　＿＿＿＿＿　＿＿＿＿＿

❸ もう7人 　＿＿＿＿＿　＿＿＿＿＿

❹ あと12日間 　＿＿＿＿＿　＿＿＿＿＿　＿＿＿＿＿

❺ あと3つ 　＿＿＿＿＿　＿＿＿＿＿

157

「〜半」の言い方（〜 and a half）

日本人のEnglish

❼❸ そのコンサートは2時間半行われました。

The concert was two hours half.

多くの生徒さんが、この語のつながりに苦労するようです。いくつかの正しい用例を挙げておきます。

one and a half **minutes**	（1分半）
two and a half **hours**	（2時間半）
three and a half **days**	（3日と半日）
four and a half **weeks**	（4.5週）
five and a half **months**	（5ヶ月半）
six and a half **years**	（6年半）

このパターンを覚える1つの方法として、指を使うことをおすすめします。

例１：「1分半」	親指	**one**
	人差し指	**and**
	中指	**a**
	薬指	**half**
	小指	**minutes**
例２：「5ヶ月半」	親指	**five**
	人差し指	**and**
	中指	**a**
	薬指	**half**
	小指	**months**

例を見てみましょう。

I've written two and a half **pages.**
（私は2ページ半まで書いたところです）

My son is three and a half **years old.**
（うちの息子は3歳半です）

I've lived in Japan for seven and a half **years.**
（私は日本に7年半、住んでいます）

It takes one and a half **hours by Shinkansen from Sendai to Tokyo.**
（新幹線で仙台から東京まで1時間半かかります）

ネイティブのNatural English

The concert took two and a half hours.

（そのコンサートは2時間半行われました）

Drill ⑦

日本語の意味に応じて、空所を埋めましょう。

❶ 映画は約2時間半でした。
The movie was about _____.

日本人のEnglish

74 私の誕生日は10月31日です。

My birthday is on October 31th.

英語での日付の言い方は次のようになります。

the first (1st)	the seventeenth (17th)
the second (2nd)	the eighteenth (18th)
the third (3rd)	the nineteenth (19th)
the fourth (4th)	the twentieth (20th)
the fifth (5th)	the twenty-first (21st)
the sixth (6th)	the twenty-second (22nd)
the seventh (7th)	the twenty-third (23rd)
the eighth (8th)	the twenty-fourth (24th)
the ninth (9th)	the twenty-fifth (25th)
the tenth (10th)	the twenty-sixth (26th)
the eleventh (11th)	the twenty-seventh (27th)
the twelfth (12th)	the twenty-eighth (28th)
the thirteenth (13th)	the twenty-ninth (29th)
the fourteenth (14th)	the thirtieth (30th)
the fifteenth (15th)	the thirty-first (31st)
the sixteenth (16th)	

　日本人が最もよく間違うのは**1st**、**21st**、**31st** です。**11th** のように、**1st**、**21st**と**31st**の１も **'th'** をとると思ってしまうのかもしれません。

　先ほどの一覧のように、theが日付の前に付きます。**on the 31st** などと言います。

　しかし、月名を伴うなら、on October 31stのようにtheを抜いて言うことになります。

We got married on October 8th.
（私たちは10月8日に結婚しました）
I had a car accident on July 23rd.
（私は7月23日に自動車事故に遭いました）

ネイティブのNatural English

My birthday is on October 31st. ○

（私の誕生日は10月31日です）

Drill ⑦

日本語の意味に応じて、正しい日付を書きましょう。必要に応じて、'on the' と月名を使いましょう。

❶ 2日に　＿＿＿＿＿　　❺ 11月23日に　＿＿＿＿＿

❷ 1日に　＿＿＿＿＿　　❻ 3月5日に　＿＿＿＿＿

❸ 13日に　＿＿＿＿＿　　❼ 5月4日に　＿＿＿＿＿

❹ 7日に　＿＿＿＿＿　　❽ 10月20日に　＿＿＿＿＿

>
> **75** 私は2週間に1度、山形に行きます。
>
> **I go to Yamagata once two weeks.**

これは日本人の英語学習者の多くがつまずく問題です。everyという語を使いこなす人は少ないのですが、これが上の文を正しいものにするのです。

I go to Yamagata once every **two weeks.**
（私は2週間に1度、山形に行きます）

似たような状況でeveryが用いられる例はたくさんあります。

● 「〜分に一度」「〜分おき」
The train comes once every **twenty minutes.**
（列車は20分に1本、来ます）

My snooze alarm rings once every **five minutes.**
（私の目覚まし時計は5分おきに鳴ります）

During rush hour, Yamanote Line comes once every **three minutes.**
（ラッシュアワー時には、山手線は3分に1本、来ます）

● 「〜ヶ月に一度」
I go to Australia on business once every **three months.**
（私は3ヶ月に1度、仕事でオーストラリアに行きます）

●「～年に一度」

When I was a kid, we took a family trip once every two years.
（私が子どもだった時、私たちは2年に1度、家族旅行をしました）

In America, people vote for president once every four years.
（アメリカでは、人々は4年に1度、大統領選挙をします）

Haley's Comet passes by Earth once every 75 years.
（ハレー彗星は75年に1度、地球のそばを通過します）

ネイティブのNatural English

I go to Yamagata once every two weeks.

（私は2週間に1度、山形に行きます）

Drill ⑮

下線部を英語に訳しましょう。

❶ 私たちは<u>6ヶ月に1度（年に2度）</u>、家の墓参りをします。
We visit our family grave _____.

❷ 火星は<u>687日に1回</u>の周期で、太陽の周りを回ります。
The planet Mars goes around the sun _____.

「数字とハイフン (-)」の付け方

❼❻ 私たちには3歳の男の子がいます。

We have a three years old boy.

この文には2つの間違いがあります。

まず1つ目は、ハイフンが抜けていることです（正しくは、**a three-year-old boy**）。ハイフンが必要なのは、例文のthree, years, oldは男の子のことを説明するものですが、これらが個々に男の子のことを描写することはできないからです。

つまり、a three boyでは男の子を説明できていませんし、a year boyもan old boyも然りです。これら3つの語が男の子を正しく説明できるものになるためには、合体して**a three-year-old boy**と言わなければなりません。three-year-oldは1つの形容詞として働き、名詞のboyを描写します。

2つ目は、yearの後にsは要らないということです。繰り返しますが、**three-year-old**は1つの形容詞として機能し、yearは複数形である必要はありません。

いくつかの正しい用例を見てください。

a three-year-old **girl** （3歳の女の子）
a two-hour **movie** （2時間の映画）
a three-minute **egg** （3分で茹で上がる卵）
a ten-day **vacation** （10日間の休暇）
a four-hour **flight** （4時間の飛行）
a three-day **weekend** （3連休の週末）
a 30-minute **lesson** （30分間のレッスン）

他にも例を見てみましょう。

東京からロサンゼルスまでは10時間の飛行になります。
It's a ten-hour flight from Tokyo to Los Angeles.

月曜日は祝日なので、3連休の週末になります。
Monday is a holiday, so we have a three-day weekend.

私たちには5歳の男の子と10ヶ月の女の子がいます。
We have a five-year-old boy, and a ten-month-old girl.

ネイティブのNatural English

We have a three-year-old boy. ○

（私たちには3歳の男の子がいます）

Drill 76

日本語の意味に応じて、空所に正しい英語を入れましょう。
冠詞のaの付け忘れにも注意しましょう。

❶ 私は50分間のレッスンのほうが好きです。
   I prefer having _____ lesson.

❷ 私は2週間の休暇があります。
   I have _____ vacation.

「学年」の言い方 （grade, year）

日本人のEnglish

77 私は高校1年生です。

I am a first grade high school student.

　英語でいうところの1学年に属している高校生というものは存在しません。日本での学年は、次のような英語に相当します。

日本語	英語
小学校（1〜6年）	**1st/2nd/3rd/4th/5th/6th grades**
中学校（1〜3年）	**7th/8th/9th grades**
高等学校（1〜3年）	**10th/11th/12th grades**

　したがって「高校1年生」は **"I am in the 10th grade."** と言うことができ、「中学1年生」は **"I am in the 7th grade."** と言えます。

　国によっては、中学校は6学年から8学年までで、高校は9学年から12学年までに当たるということもありますが、やはり高校1年生をfirst gradeと言うのは誤りであるという事実に変わりはありません。

　しかし「高校に入学して1年目／2年目／3年目になる」という言い方はできます。

　大学生については、gradeを用いることはできません。むしろyearを使いましょう。次のように言います。

I am a 1st/2nd/3rd/4th-year **university student.**
（私は大学1年生／2年生／3年生／4年生です）

　そしてその後に**"I am a master's student / Ph.D. student."**（私は修士課程／博士課程の学生です）などと言うことができます。

　間違えやすい例を見てみましょう。

私は中学2年生です。

× 　I am a second grade junior high school student.

○ 　I am an eighth-grade junior high school student.

私は大学3年生です。

× 　I am a third grade university student.

○ 　I am a third-year university student.

ネイティブのNatural English

I am in the 10th grade.

（私は高校１年生です）

Drill ⑰

次の英文を自然な英文に正しましょう。

❶ 私の息子は11年生です。

My son is in the 2nd grade.

_____

❷ 私の娘は大学1年生です。

My daughter is a first grade university student.

_____

>
> ❼❽ 私は一日にコーヒーを2〜4杯飲みます。
>
> **I drink two or four cups of coffee a day.**

　この文を目にしたネイティブはこう思うでしょう。「この人はコーヒーを3杯飲むことはあるのだろうか」と。

　❼❽の文のように、連続していない数字をorという語で結びつけるのは変です。この誤りを訂正する方法が2つあります。

1. **I drink** two or three **cups of coffee a day.**
   （私は1日に2、3杯のコーヒーを飲みます）

2. **I drink** two to four **cups of coffee a day.**
   （私は1日に2杯ないし4杯のコーヒーを飲みます）

　1のtwo or threeは「1日に2杯または3杯のコーヒーを飲む」と伝えています。

　2のtwo to fourは"幅"のあることについて話していて、「1日に2杯飲むかもしれないし、また3杯の時もあれば、4杯の時もあるかもしれない」ということです。

　他にも例を見てみましょう。

トムは2、3個のアルバイトをしています。
Tom has two or three **part-time jobs.**

この子ネコは2ヶ月ないし4ヶ月です。
This kitten is two to four months old.

その地震で3、4人がケガをしました。
Three or four people were hurt in the earthquake.

昨夜、動物園から7、8頭の動物が逃げ出しました。
Seven or eight animals escaped from the zoo last night.

私たちは治療法を見つけるのに3年ないし5年はかかるところにいます。
We are three to five years away from finding a cure.

ネイティブのNatural English

I drink two to four cups of coffee a day.

（私は１日に2杯ないし4杯のコーヒーを飲みます）

Drill 78

（　　　）内の正しいほうを選びましょう。

❶ 私たちのいる銀河系には1千～4千億の星があると思われています。
It's believed our galaxy has 100 (or / to) 400 billion stars.

The Moon

　「月」の持つイメージは、日本人と欧米人で大きく違います。

　日本では、満月といえば、十五夜やウサギの餅つきなどを思い浮かべる方が多いでしょう。十五夜のお月見が日本に広まったのは平安時代で、貴族たちが月を眺めながらお酒を飲んだり、詩歌を楽しんだりしたそうです。庶民の間にまで十五夜の風習が広まったのは江戸時代。この頃までには収穫祭の意味合いが強くなり、現代の十五夜にその伝統が続いています。

　このように、日本では古来から「月は愛でるもの」というイメージが一般的です。

　一方で、欧米人は月に対してかなり違ったイメージを持っています。多くの人は月から「狂気」を連想します。

　例えば「狂人、変人、精神異常者」のことを英語ではlunatics（ルナティックス）と呼ぶことがあります。lunaはラテン語で、「月」を意味します。古代ローマの博物学者ガイウス・プリニウス・セクンドゥスは、満月が人の狂気を誘因すると提唱していたそうです。

　言葉の起源に限らず、現代の大衆文化の中でも「月と狂気」は一般的なイメージであるといえます。

　例えば、ロック界のレジェンドとして知られるピンク・フロイドの代表作 "Dark Side of the Moon" は、最も偉大なロックアルバムの1つですが、このアルバムでは「月と狂気」の強い関係性がテーマの1つとなっています。また、人が満月の夜におおかみ人間に変身する物語は、小説や映画などで人気の題材です。

　欧米では狂気とよく結び付けられる月ですが、クラシック音楽の世界ではその限りではありません。ベートーヴェンの通称「ムーンライトソナタ」や、ドビュッシーの「月の光」では、穏やかな月の光の美しさが表現されており、日本の月に対するイメージと近いものを感じます。

　異なる文化の数だけ、月のイメージや月の物語がある。月といったら何を連想するか、異文化を知るよいきっかけになりそうですね。

Gardens

　日本庭園はとても美しいです。自然の風景を手本として、池や樹木、石や苔などの様々な要素が折り重なり造形されています。日本のもつ美意識や自然に対する価値観を表現しており、季節の移り変わりや、ありのままの自然を楽しむことに重きが置かれています。

　一方で、西洋庭園は花や緑が基調となっているものが多く、花壇や生垣を左右対称にデザインして、自然界にはない人工的な美しさを追及しているのが特徴です。

　日本庭園と西洋庭園、それぞれの美しさがありますが、両者の大きな違いの1つは、何を「美」としているかです。日本庭園は変化も含めた「自然の風景」を美としているのに対し、西洋庭園は自然を左右対称や幾何学的形状に加工して作られた「人工的な秩序のある風景」を美としています。

　私自身が興味深いと思う違いは、「庭を楽しむ視点」です。

　日本庭園は、外側から眺めて楽しむスタイルが一般的です。素敵な日本庭園のある家では、例えば縁側のように、庭を眺めるための特別な場所を設けていたりします。スケールの大きい庭園の場合、周りに作られた小道から眺めたり、ボートから眺めたりできる庭園もあります。つまり、日本庭園は外側から眺めるスタイルが主流のように感じます。

　西洋庭園は、人の通れる小道やベンチ、ガゼボ（西洋風の東屋）などが庭の一部として組み込まれており、庭の中を散歩したり、お茶を飲んだり、読書をしてリラックスしたりすることを念頭に置いて作られているものが多いです。外から眺めても美しい西洋庭園ですが、庭の中からでも日常的に楽しめます。

　外側から眺める日本庭園と、内側からも楽しめる西洋庭園。あなたはどちらが好みですか。

㊐ 私は高校生の時に、東京に住んでいました。

When I was high school, I lived in Tokyo.

　この文の問題点は、I was high schoolの部分です。同様にSVC構造（2文型）を持つ下の例文を見てください。

I was happy.
（私は幸せでした）
　この場合、I ＝ happyの関係にあると言えます。

My name is Steven.
（私の名前はスティーブンです）
　ここでも、**My name** ＝ **Steven**の関係が成立します。

　この視点で上の文を分析してみますと、
I was high school.
（私は高校でした）
ということになり、I ＝ high schoolの関係が成立することになってしまいますね。㊐の文の修正方法は2つあります。

When I was in high school, I lived in Tokyo.
（私は高校時代に、東京に住んでいました）

When I was a high school student, I lived in Tokyo.
（私は高校生の時に、東京に住んでいました）

　他にも例を見てみましょう。

私の息子は中学生です。
My son is a junior high school student.

あなたの娘さんは大学生ですか？
Is your daughter a university student**?**

あなたは小学生の時、どこに住んでいましたか？
Where did you live when you were an elementary school student**?**

ネイティブのNatural English

When I was in high school, I lived in Tokyo.

○

（私は高校時代に、東京に住んでいました）

When I was a high school student, I lived in Tokyo.

○

（私は高校生の時に、東京に住んでいました）

Drill ⑦⑨

空所に適語を1語ずつ入れましょう。

❶ 私は高校に通っています。
I am _____ _____ _____ _____.

❷ あなたの息子は小学校にいますか？（elementary school）
Is your son _____ _____ _____**?**

⑳ 私はフランスに行ったことがあります。

I have ever been to France.

everは通常、疑問文で用いられ、平叙文では用いられません。したがって、⑳の正しい英文は、everという語のない、**"I have been to France."**です。

人生の経験に関する例文で、その肯定形、否定形、疑問形を見てください。

肯定形　I have been to **France.**
（私はフランスへ行ったことがあります）

否定形　**We** have never been to **Canada. /**
　　　　We haven't been to **Canada.**
（私たちは１度もカナダへ行ったことがありません）

疑問形　Have **you** ever been to **India?**
（あなたは今までにインドへ行ったことがありますか？）

他にも例を見てみましょう。

John has traveled a lot.
（ジョンはたくさん旅行をしたことがあります）
I have never visited a foreign country.
（私は１度も外国を訪れたことがありません）

We have never visited Kyoto.
（私たちは１度も京都を訪れたことがありません）

Have you ever learned Japanese?
（あなたは今までに日本語を学んだことがありますか？）

　ただし、everを平叙文中で用いることができる１つの状況があります。これは、everが最上級（**the best 〜**、**the most exciting 〜** など）と組まれる時です。

例　**The best movie I have ever seen is** *Casablanca*.
　　（私が今までに観た中で１番良かった映画は、カサブランカです）

ネイティブのNatural English

I have been to France.

（私はフランスに行ったことがあります）

Drill ❽⓪

日本語の意味に応じて、英文を正しい語順にしましょう。
必要ならeverまたはneverを加えてください。

❶ 私は何度も日本に来たことがあります。
to Japan many times / I / come / have

_____

❷ 千恵子はコモ湖に行ったことがありますか？
Lake Como / has / been to / Chieko

_____

日本人のEnglish

㊶ 私は先週、東京に行って来ました。

I have been to Tokyo last week.

　現在完了はある状態が現在の瞬間までずっと続いていることを表します。しかし、last week（先週）は既に過ぎており、現在まで続いていないために、現在完了を用いることができません。

　通常、現在完了と共に用いることができない3つの語があります。
yesterday（昨日）　　　**last**（先の〜）　　　**ago**（〜前）

現在完了と用いることが可能な語は
recently（最近）　　**just**（ちょうど〜したばかり）
lately（この頃）　　　**this**（この〜）

　㊶の英文を訂正する方法は2つあります。

1　過去時制を用いる
I went to Tokyo last week.
（私は先週、東京に行きました）

2　時間を変える
I have been to Tokyo this week.
（私は今週、東京に行ってきました）

　他にも例を見てみましょう。

× 　**I have lost weight *last week*.**
○ 　**I have lost weight recently.**
　　（私は、最近、体重が減ったところです）

× **The plane has landed *five minutes ago*.**

○ **The plane landed five minutes ago.**
（飛行機が、ちょうど着陸したばかりです）

○ **The plane has just landed.**
（飛行機は、5分前に着陸しました）

　ちなみにsinceは「起点」を表すものですが、次の例のように現在完了で使われることが可能です。

1 **We've lived here since last year.**
（私たちは、昨年以来、ここに住んでいます）

2 **I haven't eaten since yesterday.**
（私は、昨日から何も食べていません）

ネイティブのNatural English

I went to Tokyo last week. ○
（私は先週、東京に行きました）

I have been to Tokyo this week. ○
（私は今週、東京に行ってきました）

Drill ⑧

時制を変えて、正しい英文にしましょう。

❶ 私は2週間前に米国へ行きました。
I *have been* to the US two weeks ago.

_____

❷ 私は昨日、何も食べませんでした。
I *haven't* eaten anything yesterday.

_____

日本人のEnglish

�82 その地震が起きた時、私は1時間寝入っていた
ところでした。

**I had been sleeping for one hour
when the earthquake hit.**

　この英文は正しいものです。文法事項は過去完了進行形ですが、
これは多くの英語学習者にとって理解しにくいものです。実際には、
過去完了進行形は「完了」の概念よりも「進行形」の概念と密接に
関係しています。

　過去進行形と過去完了進行形の違いについて見ていきます。

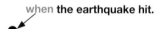

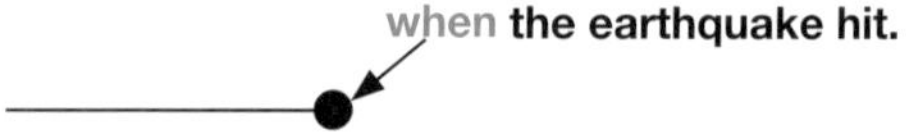

when the earthquake hit.

I was sleeping　（地震が起きたとき、私は,眠っていました）

　ここでは2つの行為が存在しており、長い時間を要すること（私
は、眠っていた）と突然のこと（地震が起きた）です。
　上の文は過去進行形の文で、whenという語がこの文法事項と、よ
く一緒に用いられます。
　しかしながら、過去進行形は、地震が起きた時にどれくらいの時
間、その人が眠っていたかを告げることはできません。
　もし、「何かが急に起きた時に、その人が何をどのくらい長いこ
とし続けていたか」を表現したい場合は、過去完了進行形を使って
ください。

　他にも例を見てみましょう。

The plane had been flying for an hour when **the engine failed.**
(エンジンが故障した時、その飛行機は1時間飛行している最中でした)

Jo had been working in Tokyo for a year when **he got transferred.**
(ジョーは転勤になった時、東京で1年間働いていたところでした)

ネイティブのNatural English

I had been sleeping for one hour when the earthquake hit.

(その地震が起きた時、私は1時間寝入っていたところでした)

Drill ❽❷

過去完了進行形とwhenを使って英文を書き換えましょう。

❶ 私がアユミと出会った時は、私は日本に12年間暮らしていたところでした。
I was living in Japan. It was for 12 years. Then, I met Ayumi.

_____

❷ 私たちが結婚した時は交際を6ヶ月間続けていたところでした。
We were dating. It was for six months. Then, we got married.

_____

日本人のEnglish

83 その列車は出てしまっていた。

The train had left. △

この文は、必ずしも間違いではありません。文脈次第です。文法としては過去完了です。過去完了を用いるためには、<u>2つの行為</u>が必要で、そのどちらとも過去に起こったものでなければなりません。

より自然な文は、次のようになります。

The train <u>had left</u> by the time I <u>got</u> to the station.
（その列車は、私が駅に着いた時までに、既に出てしまっていた）

この文の構造を図で説明しましょう。

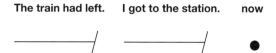

The train had left.　I got to the station.　now

はじめに、列車が出発しました。それから、私が駅に着きました。

1番目の行為（列車が出発した）は、2番目の行為（私が駅に着いた）の前に起こりました。そして、両方とも過去（現在以前）に起こりました。これが過去完了です。

2つの行為があって、両方とも過去に起こったことで、1つはもう1つの前に起こっているという状況がなければ、過去完了は使えませんね。

by the timeを過去完了と共に用いるのが、とても自然です。「had＋過去分詞」は、先に起きた1番目の行為に対して使われなければなりません。

180

他にも例を見てみましょう。

The party ended. We got there.

○ **The party** had ended by the time **we got there.**
（パーティーは私たちがそこに着いた時までに既に終わっていました）

The thief ran away. The police arrived.

○ **The thief** had run away by the time **the police arrived.**
（泥棒は警察が到着した時までに既に逃亡していました）

We ran out of money. We reached Sydney.

○ **We** had run out of money by the time **we reached Sydney.**
（私たちはシドニーに到着した時までにお金を使い果たしていました）

ネイティブのNatural English

The train had left by the time I got to the station.

（その列車は、私が駅に着いた時までに、既に
出てしまっていた）

Drill ❽❸

次の英文を、過去完了を用いて1文にしましょう。by the
timeを使ってください。

❶ その食べ物は、私たちが食べようと腰を下ろした時には、
既に冷めていました。
The food got cold. We sat down to eat.

_____

84 あなたはそれについてどう思いますか？

How do you think about it?

　この文の問題点は、自然な英語になっていないことです。問題は、直訳から生じています。

　日本語では「どう思いますか。」は正しいものですが、英語では
<u>What</u> do you think about it?
（あなたはそれについて<u>何を</u>思いますか）
と言うようにしましょう。

　実際には、2つの基本型があります。
1. What do you think about it?
2. How do you feel about it?

　これら2つの疑問文は似ているようですが、大切なことは<u>How</u>と<u>think</u>とを混在させない</u>ことです。

　他にも例を見てみましょう。

私のことをどう思っているの？
How do you feel about me?

千恵子はジョンのことをどう思っていますか？
How does Chieko feel about John?

地球温暖化についてどう思いますか？
How do you feel about global warming?

あなたのご両親は、あなたの海外留学についてどう思っていますか？
How do your parents feel about you studying abroad?

結婚についてどう思いますか？
What do you think about marriage?

日本の人々はドナルド・トランプのことをどう思っていますか？
What do Japanese people think about Donald Trump?

ネイティブのNatural English

What do you think about it? ⭕

（あなたはそれについて何を思いますか）

How do you feel about it? ⭕

（あなたはそれについてどう思いますか）

Drill 84

日本語の意味に応じて、空所に適語を入れましょう。

❶ 私の新しい上着をどう思いますか？
_____ do you think about my new jacket?

❷ 起業することについてどう思っていますか？
How do you _____ about starting a business?

疑問詞 (Where 〜?　What 〜?)

日本人のEnglish

㊶ 日曜日にどこかに出かけましたか？

Where did you go on Sunday?

　日本人の生徒さんたちが週明けに、時々教師たちにこのような不自然な質問をします。どこが不自然なのでしょうか。'WH' 疑問文で尋ねる時は、それを尋ねる側の人はあることを想定しています。

　例えば、あなたが誰かに「あなたの弟さんの名前は何ですか」と尋ねれば、周囲の人はその人物に弟がいるのだなと思うに違いありません。おそらくその人はあなたに、自分に弟がいると以前話したのでしょう。

　ところが、弟がいるかどうかを知らない人物に、いきなりその人の弟の名前は何かと尋ねるのは不自然でしょう。

　同じ理由で、先生に、日曜日にどこへ行ったのかと尋ねることは、あなたがその先生がどこかへ行ったということを知っているという前提を想起させます。

　でも、もしかしたらその先生はどこへも行かなかったかもしれません。

　この問題を避けるためには、まず 'yes/no' 疑問文で会話を切り出すほうがよく、それから 'WH' 疑問文で次の会話のように尋ねましょう。

＜会話例1＞

Ami : Did you do anything **on Sunday?**
（日曜日に何かしましたか？）

Jim : Yes**, I went out with my family.**
（はい、家族と出かけました）

Ami : Where **did you go?**
（どこへ行ったのですか？）

Jim : We went to the park**.**
（私たちは公園に行きました）

＜会話例2＞

Ami : Do you like **Japanese food?**
（あなたは和食は好きですか？）

Jim : Yes**, I do. It's delicious.**
（はい、好きです。それはおいしいです）

Ami : What **is your favorite Japanese dish?**
（あなたの好きな和食は何ですか？）

Jim : I love sushi**.**
（私は寿司が好きです）

"Where did you go on Sunday?" は通常、好ましい質問ではありません。なぜなら、あなたがどこかへ行ったということが想定されるからです。

'yes / no' 疑問文の "Did you do anything last weekend?" のほうが望ましいものです。なぜなら、これは何の想定もしていないからです。

しかしながら、ほとんど何の想定もない 'WH' 疑問文-"What did you do on Sunday?" もあります。あなたは常に "Not much." と答えればよいのです。

ユキが先週末にどのように過ごしたかについての会話を読みましょう（次のページにも続きます）。ジョンが最初にyes/noの質問をし、次にWHの質問をして詳細を尋ねる方法に気をつけて読みましょう。

John - Did you have a good weekend, Yuki?

Yuki - Yes, I did, thanks.

John - What did you do?

Yuki - On Saturday, I went shopping with my friends.

John - Where did you go?

Yuki - We went downtown. It was so much fun.

John - That's nice. What did you do on Sunday?

Yuki - On Sunday, I went to my sister's house.

John - What did you do there?

Yuki - I played with my nephew, Atticus, and my three nieces, Athena, Alexandra, and Aria.

John - Wow. Your sister has four kids?

Yuki - Yes, she does. But she and her husband want more.

John - How many do they want?

Yuki - Eleven!

ネイティブのNatural English

Did you do anything on Sunday? ◯

（日曜日に何かしましたか？）

Drill 85

次の会話文が正しい順番になるように1〜4の数字を書きましょう。

___ **What (movie) did you see?**
（何（の映画）を観ましたか？）

___ **Yes, we went to the movies.**
（はい、私たちは映画に行きました）

___ **Did you do anything on Friday?**
（金曜日は何かしましたか？）

___ **We saw Top Gun II.**
（私たちはトップガン2を観ました）

日本人のEnglish

86 私は明日、東京に行く予定です。

I will go to Tokyo tomorrow.

　この文は文法的には正しいのですが、あまり自然なものではありません。たいていネイティブは、**will**はまだ決定されていない未来の出来事について話す時に用います。

　次のような例が、willの典型的な使い方です。

A : What are you going to have for dinner tonight?
　（今夜、夕食に何を食べる予定なの？）

B : I'm not sure. Maybe I'll have pasta.
　（わからないなぁ。おそらくパスタを食べようかな）

　この会話では、Bはまだ夕食に何を食べるつもりか決めていません。彼はパスタを食べるかもしれないし、何か他のものを食べるかもしれません。

　既に決定されている未来の用事については、ネイティブは通常、**be going to**を用います。ですので、**86**の文の自然な言い方は次のようになります。

I am going to go to Tokyo tomorrow.
（私は明日、東京に行く予定です）

　他にも例を見てみましょう。

うちの家族は今年の秋にハワイを訪れる予定です。
△My family will visit Hawaii this fall.
○My family is going to visit Hawaii this fall.

私たちは出発前に新しいカメラを買うつもりです。
△We will buy a new camera before we leave.
○We are going to buy a new camera before we leave.

　未来の予定に関する質問をするときはwillよりもbe going toを使うほうがいいです。
　例えば"How long will you stay in Hawaii?"は不自然で、**"How long are you going to stay in Hawaii?"**などと尋ねましょう。

ネイティブのNatural English

I am going to go to Tokyo tomorrow. ○

（私は明日、東京に行く予定です）

Drill 86

be going toを用いて、より自然な英文にしましょう。

❶ ハワイで私はサーフィンの講習を受ける予定です。
In Hawaii, I will take surfing lessons.

_____

❷ 私の姉（妹）は毎日、買い物に出かけるつもりです。
My sister will go shopping every day.

_____

助動詞（should）とought to

日本人のEnglish

87 私たちは帰宅すべきです。

We should to go home. ✕

　これは日本人の英語学習者にとてもよくある誤りです。

　shouldは、will, must, canなどと同様に、通常その後に動詞が続きます。

例
will **call**	（電話をかけるだろう）
must **study**	（勉強しなければならない）
can **wait**	（待つことができる）

　しかし、**87**の文はshouldの後にtoが続いており、不定詞のようにも見えますが、そうではありません。正しくは、次のようになります。

We should go home.
（私たちは帰宅すべきです）

　ought to ~ もshouldとよく似た意味で使えます。shouldとought to ~ を用いた2つの例を紹介します。

We should get going.
（私たちは出発すべきです）
You ought to go to bed.
（あなたは寝るべきです）

　shouldも ought to ~も助言を伝える表現として用いられます。唯一の違いは、shouldは肯定文、否定文、疑問文において使用可能ですが、ought to ~は肯定文と否定文（ought not to ~）にのみ用い、疑問文では使われません。

　他にも例を見てみましょう。

We should get something to drink.
（私たちは何か飲み物を買うべきです）
You ought to rest for a while.
（あなたは少し休憩すべきよ）
Should I go to your house tonight?
（私は今夜あなたのお宅へ行くべきでしょうか？）

ネイティブのNatural English

We should go home.

（私たちは帰宅すべきです）

Drill 87

日本語の意味に合うように、語句を正しく並べ替えましょう。

❶ 夜遅くまで起きていてはいけません。
not / you / stay up / late / ought / to

_____

❷ イベントのためにフォーマルな服装をする必要がありますか？
event / we / formally for / the / dress / should

_____

日本人のEnglish

88 1週間後に会いましょう。

I'll see you after one week.

この文ではafterが誤りです。正しい前置詞はinです。

"I'll see you in one week." のinは、日本語の「～後」と訳されます。下の例を見てください。

We're going to America in two years.
（私たちは2年後にアメリカへ行く予定です）

Let's meet again in a month.
（1ヶ月後にもう1度会いましょう）

I'll see you in an hour.
（1時間後にあなたと会いましょう）

We'll be back in a few minutes.
（私たちは数分後に戻ってきます）

I'll call you back in a few minutes.
（私は数分後にあなたに電話をかけ直します）

他にも例を見てみましょう。

私は約1時間後に仕事を終える予定です。
- ×　**I'm going to finish work after about an hour.**
- ○　**I'm going to finish work in about an hour.**

その会議は1週間後に開かれるでしょう。
- ×　**The meeting is going to be held after a week.**
- ○　**The meeting is going to be held in a week.**

ネイティブのNatural English

I'll see you in one week. ○

（1週間後に会いましょう）

Drill 88

次の英文を自然な英文にしましょう。

❶ あなたは、私と30分後に（待ち合わせて）会えますか？
Can you meet me after half an hour?

_____

❷ 医者は私にまた3ヶ月後に受診するように頼んだ。
The doctor asked to see me again after three months.

_____

日本人のEnglish

⑧⑨ 私は先週の日曜日に箱根に行きました。

I went to Hakone on last Sunday.

　この文の問題点は**on**と**last**です。次のようにどちらか一方を用いることはできますが、両方を併記して用いることはできません。

1. **I went to Hakone** on Sunday.
   （私は日曜日に箱根に行きました）
2. **I went to Hakone** last Sunday.
   （私はこの前の日曜日に箱根に行きました）

　未来のことを表す文でon next Sundayという言い方も誤りです。次のように表現しましょう。
1. **I'm going to go to Hakone** on Sunday.
   （私は日曜日に箱根に行く予定です）
2. **I'm going to go to Hakone** next Sunday.
   （私は次の日曜日に箱根に行く予定です）

　last Sundayやnext Sundayのように、**last**や**next**を用いるときは誤解が生じやすいので注意してください。
　例えば、今日が10月13日の火曜日として、「この前の日曜日に箱根に行った」と言うと、人によっては11日の日曜日、それとも4日の日曜日なのかわからないかもしれません。
　しかし**last**には「やや時間の空いた過去」という感覚があります。仮に今日が10月15日の木曜日で、「次の日曜日に箱根に行く予定だ」と言うと、18日の日曜日、それとも25日の日曜日なのか混乱しがちです。**next**にも「やや時間の空いた未来」という感覚があります。このような混乱を避けるためには次のように言いましょう。

1. **I went to Hakone this past Sunday.**
   （私は<u>ついこの間の</u>日曜日に箱根に行きました）
2. **I'm going to go to Hakone this coming Sunday.**
   （私は<u>今度すぐの</u>日曜日に箱根に行く予定です）

<u>ついこの間</u>の週末は何をしていましたか？（今日は月曜日）
△**What did you do last weekend?**
○**What did you do this past weekend?**

<u>今度すぐ</u>の週末に何をする予定ですか？（今日は金曜日）
△**What are you going to do next weekend?**
○**What are you going to do this coming weekend?**

―― ネイティブのNatural English ――

I went to Hakone last Sunday. ○

（私は先週の日曜日に箱根に行きました）

Drill ❽❾

2つの方法で英文の誤りを訂正しましょう。

❶ この間のバレンタインデーの日に何をしましたか？
What did you do on last Valentine's Day?

_____

❷ 私たちは金曜日に沖縄に行く予定です。
We're going to go to Okinawa on next Friday.

_____

⑨ 車の運転中に携帯を使わないでください。

Don't use your phone during driving.

ここでは、**while**と**during**という2つの重要な語を見ていきましょう。

まず、**while**について話しましょう。それは「〜しながら」と訳されることがあります。これは2つの物事が同時に起きていることを意味します。

例　**I was watching TV while eating popcorn.**
　　（私はポップコーンを食べ**ながら**TVを観ていました）

この文では、watchingとeatingという2つの行為が存在しており、それらは一緒に起きています。

一方、**during**は「〜の間に／最中に」と訳され、1つの行為と1つの出来事について用いられます。

例　**We often fall asleep during long lectures.**
　　（私たちは長い講義**の最中に**眠りに落ちることがよくあります）

ここでは、私たちは1つの行為（fall asleep）と1つの出来事（long lectures）を経験しています。

⑨の文は**"Don't use your phone while driving."**となります。

他にも例を見てみましょう。

私たちは音楽を聴き<u>ながら</u>宿題をします。
We do homework while listening to music.

私は夏休み<u>の間に</u>仕事をする予定です。
I'm going to work during summer vacation.

あなたは運転<u>しながら</u>携帯電話を使っていたのですか？
Were you using your mobile phone while driving?

私は会議<u>の最中に</u>眠っていませんでした。
I wasn't sleeping during the meeting.

ネイティブのNatural English

Don't use your phone while driving. ◯

（車の運転中に携帯を使わないでください）

Drill ⑨⓪

空所にwhileまたはduringを入れましょう。

❶ 私はバスを待ちながら、携帯電話を確認します。
I check my mobile phone _____ waiting for the bus.

❷ あなたは映画の最中に眠りに落ちましたか？
Did you fall asleep _____ the movie?

日本人のEnglish

91 私たちはバスの中にいました。

We were in the bus.

公共交通機関に関しては、前置詞on / offが用いられます。

on the bus / off the bus （バスに乗る／バスを降りる）
on the train / off the train （電車に乗る／電車を降りる）
on the subway / off the subway
（地下鉄に乗る／地下鉄を降りる）

飛行機についても同様です。

on the airplane / off the airplane
（飛行機に乗る／飛行機から降りる）

車とタクシーについては、前置詞in / out ofが使われます。

in the car / out of the car （車に乗る／車を降りる）
in the taxi / out of the taxi
（タクシーに乗る／タクシーを降りる）

タクシーは公共交通機関とは見なしません。なぜなら、人がタクシーを使う時点で、それはその人の私的な輸送手段になるからです。そこにさらに他人が乗り込むことはできないわけです。

日本では、タクシーを降りると、ドアが自動的に閉まります。
In Japan, after you get out of the taxi, the door closes behind you automatically.

198

どうぞ、車にお乗りください。
Please get in the car.

あなたからの電話に出られなくてすみませんでした。
電車の中にいたものですから。
Sorry I couldn't answer your phone call. I was on the train.

その海岸に行くには、メインストリートでバスを降りてください。
To go to the beach, you should get off the bus at Main Street.

ネイティブのNatural English

We were on the bus.

（私たちはバスの中にいました〔バスに乗っていました〕）

Drill ⑨

日本語の意味に応じて、on/off 〜、またはin the 〜 / out of
the 〜 を空所に入れましょう。

❶ バスを降りたらすぐに電話します。
I'll call you as soon as I get _____ the bus.

❷ アメリカではタクシーを降りたら、後ろのドアを閉めるべき
です。
**In America, after you get _____ the taxi, you
should close the door behind you.**

前置詞を伴わない動詞（marry, discussなど）

日本人のEnglish

92 私は外国人と結婚したいです。

I want to marry with a foreigner.

この文の問題点は、日本語から英語への直訳のために生じています。次の日本語の文と英文を見てください。

外国人<u>と</u>結婚したい。
→ **I want to <u>marry</u> a foreigner.**

その問題<u>について</u>話しましょう。
→ **Let's <u>discuss</u> the problem.**

あなた<u>に</u>質問してもいい？
→ **Can I <u>ask</u> you a question?**

日本語では「と」「について」「に」などの語を用いますが、英語ではそうしたものは必要ありません。なぜなら、英語の動詞のmarry, discussやaskは他動詞で、目的語（名詞または代名詞）が直後に続くからです。

他にも、同様の他動詞としては以下のものがあります。

invite（招待する）	**reach**（到着する）
join（参加する）	**enter**（入学・入会する）
call（電話する）	**resemble**（似ている）
thank（感謝する）	

これらの動詞は、目的語が直後に来ます。例を見てみましょう。

私は母に似ています。

× **I resemble to my mother.**

○ **I resemble my mother.**

私たちはまもなくコモ湖に到着するでしょう。

× **We will reach to Lake Como soon.**

○ **We will reach Lake Como soon.**

いつ、そのお祭りの計画について話し合えますか？

× **When can we discuss about the program for the festival?**

○ **When can we discuss the program for the festival?**

あなたは学校で文化部に入るつもりですか？

× **Are you going to join to a club at school?**

○ **Are you going to join a club at school?**

ネイティブのNatural English

I want to marry a foreigner. ○

（私は外国人と結婚したいです）

Drill ⑨2

日本語の意味に応じて、不要な語を選びましょう。

❶ 千恵子はジョンと結婚したいですか？
Does Chieko want to marry with John? ＿＿＿＿

❷ 私はあなたの支援に感謝したいです。
I want to thank to you for your help. ＿＿＿＿

日本人のEnglish

93 お体に気をつけてください。

Take care your health.

この文には、前置詞の**of**が抜けています。つまり**take care of 〜**という表現で、正しい文は次のようになります。

○ **Take** care of **your health.**

もう1つのよくある誤りは、次のような文です。

× **I cared my father.**
（私は父の世話をしました）

この場合は前置詞の**for**が足りません。正しい英語は次の文です。

○ **I** cared for **my father.**

これは「自分の父を、高齢であったり、病気の時に世話をした」という意味です。

「**care for ＋人**」という表現は「人を好き」、あるいは「人を愛している」という意味にもなります。例えば、女の子が男の子に向けて、
"I care for you."（私はあなたのことが好きよ）
と言うことがあります。

誰かを「好き」「愛している」と言う、もう1つの表現に「**care about ＋人**」もあります。「（誰かのことや何かを）大切に思っている」という意味です。

例　I care about **you.**
　　（私はあなたのことを愛しています）
　　I care about **the environment.**
　　（私は環境に配慮しています）

　他にも例を見てみましょう。

リサはトムのことが好きですが、トムはリサを全然気にかけていません。
Lisa likes Tom, but Tom doesn't care for/about **Lisa at all.**

私たちが年を取ったら、子どもたちは私たちの面倒をみてくれるかしら。
When we get old, will our children take care of **us?**

ネイティブのNatural English

Take care of your health.

（お体に気をつけてください）

Drill 93

日本語の意味に応じて、take care of、またはcare aboutを
空所に入れましょう。

❶ あなたは学校の成績を重視しますか？
Do you ＿＿＿＿＿＿ your grades in school?

❷ 多くの日本人が高齢になった両親の面倒を見ます。
**Many Japanese people ＿＿＿＿＿＿ their aging
parents.**

日本人のEnglish

94 私たちは新しい靴を買いにモールへ行きました。

We went to the mall for buying new shoes.

　この文の問題点は、for buyingにあります。何かをする理由を表すには不定詞を使うのが自然です。

I work to save money. (私はお金を<u>貯めるために</u>働きます)

　なぜ私は働くのでしょうか。お金を貯めるためです。
　同様に、**94**の例は、なぜモールに行くのでしょうか。新しい靴を買うためです。正しい文は、次のようになります。

We went to the mall to buy new shoes.
(私たちは新しい靴を<u>買いに</u>モールへ行きました)

　forは、行動・行為以外の名詞を後に続けて使うこともできます。

I go to Okinawa for the weather.
(私は<u>気候がいいので</u>沖縄に行きます)

My family shops at Costco for the discounts.
(私の家族は、<u>安いので</u>買い物はコストコでします)

Many foreign tourists go to Hokkaido for the skiing.
(多くの外国人観光客が北海道に<u>スキーをしに</u>行きます)

他にも例を見てみましょう。

私はジムに<u>泳ぎに</u>行きます。

× I go to the gym for swimming.

○ I go to the gym to swim.

私の息子は現在大学入試<u>に向けて</u>、一生懸命勉強しています。

× My son is studying hard now for getting into university.

○ My son is studying hard now to get into university.

ネイティブのNatural English

We went to the mall to buy new shoes.

（私たちは新しい靴を買いにモールへ行きました）

Drill 94

次の英文の誤りを訂正しましょう。

❶ 多くの人々は賭け事をしにラスベガスに行きますが、私は派手な娯楽を求めてそこへ行きます。

Many people go to Las Vegas for gambling, but I go there for the great entertainment.

_____

_____

日本人のEnglish

95 私はあなたが好きです。なぜならいい人だか
らです。

I like you. Because you are nice.

　これは日本人が英文を書く際に、よくある間違いの1つです。
becauseは接続詞で、それはAとBを結びつけるものです。でも、
もし**96**の文のようにピリオドがあれば、becauseはその役割を果
たすことができません。ピリオドが2つの節を分断するからです。
これを訂正する方法があります。

1. **I like you** because **you are nice.**
   私はあなたが好き、なぜかというと、あなたがいい人だからです。
   （becauseを中間に入れる）
2. **Because** you are nice, I like you.
   あなたはいい人なので、私はあなたのことが好きです。
   （becauseを文頭に置く）

　becauseを文の中間に置くことが無難でしょう。becauseを文頭
に置いて文を始めることも可能ですが、文の中間にコンマを使う
必要があります。

　他にも例を見てみましょう。

私は遅く目覚めたので、列車に乗り遅れました。
I missed the train because **I woke up late.**

故郷にいる彼の家族が恋しくて、ジョンは悲しんでいます。
Because he misses his family back home, **John is sad.**

　⑨の**'Because you are nice.'** はそれだけで独立することはできません。というのは、それは完結している思いではないためです。

　とは言え、**Why**で始まる疑問文に答える際は、単に"Because..."と言っても問題ありません。次の例を見てください。

Why did you leave so early?

（どうしてあなたはそんなに早く退席したのですか？）

—**Because I was bored.**

（なぜなら私は退屈だったからです）

Why do you want to live in Italy?

（なぜあなたはイタリアに住みたいのですか？）

—**Because I love Italian culture.**

（なぜなら私はイタリアの文化が大好きだからです）

ネイティブのNatural English

I like you because you are nice. ○

（私はあなたが好きです。なぜならいい人だからです）

Drill ⑨

次の英文の誤りを正しましょう。

❶ 大勢の人たちが来てくれて、楽しいパーティーでした。
It was a good party. Because many people came.

_____

❷ 雨が降っていたので、私たちは家でTVを観ました。
We stayed home and watched TV. Because it was raining.

_____

96 私は新しい車を購入しました。

I bought new car.

日本人の英語学習者にとって難しいものの1つが冠詞です。

英語には、**a**、**an**、**the**の3つの冠詞があります。例外はあるものの、一般的に**a/an**は可算名詞を紹介するのに用い、**the**はそれを指して、それに詳細を加えるために使いましょう。

次の2つの例を見てください。

1　Step1：**I live in a house.**
　　　　　（私は一軒家に住んでいます）
　　Step2：**The house is big.**
　　　　　（その家は大きいです）

2　Step1：**I ate an apple.**
　　　　　（私は1個のりんごを食べました）
　　Step2：**The apple was tasty.**
　　　　　（そのりんごはおいしかったです）

このように、ステップ1（紹介）で **a / an**を使い、ステップ2（詳細追加）で**the**を用います。母音の前で**an**を使い、子音の前で**a**を使ってください。

他にも例を見てみましょう。

私たちは一軒家に住んでいます。	We live in a house.
その家は古いです。	The house is old.
それは小さな庭つきです。	It has a small garden.

私は技術職です。	I am an engineer.
私は、ある会社に勤めています。	I work for a company.
その会社は小さいです。	The company is small.

私は小さな町に住んでいます。	I live in a small town.
その町は美しいです。	The town is beautiful.
それは大きな公園を有しています。	It has a big park.

私たちは飛行機で行きました。	We flew in an airplane.
その飛行機は速かったです。	The plane went fast.
それは森の上を飛行しました。	It flew over a forest.

ネイティブのNatural English

I bought a new car.

（私は新しい車を購入しました）

Drill 95

適する箇所に、a、anまたはtheを入れましょう。

❶ 私は1台の車を持っています。その車は強力なエンジンを持っています。そのエンジンは大きな音がします。

I have ＿＿＿ car. ＿＿＿ car has ＿＿＿ powerful engine. ＿＿＿ engine is loud.

Babies Born to Unwed Parents

多くの国で「結婚」と「子育て」は長い間、密接に関係していました。人々は子供を持つためには結婚しなければなりませんでした。

しかし、これは欧米諸国で過去20年の間に劇的に変化しました。例えば、最近アメリカでは多くの人々が結婚をせず、未婚のままの2人が一緒に子供を育てる共同親子関係を選択しています。

Pew Researchによると、2008年の18歳から29歳までの出産の半数以上が未婚の親による出産でした。これにより「私の夫」ではなく「私の赤ちゃんのお父さん」などの言葉が生まれました。

そして、これらの数字の傾向は米国に限りません。同じ傾向がイングランドやウェールズのような多くの国で起こっており、現在では全ての乳児の50%以上が婚外子として生まれています。2014年にOECDが収集したデータによると、婚外子の数が最も多い国はチリで70%以上を占めています。

一方、日本と韓国はリストの最下位にあり、嫡出子の割合はそれぞれ約3%と2%にすぎません。これが最近、日本で生まれる赤ちゃんが少なくなっている理由の1つかもしれません。

他の国と同じように、日本でも結婚は若者の間で以前よりも減少傾向にありますが、ほとんどの人が結婚せずに子供を持ちたくないため、子供が生まれる数が少なくなっています。なぜ日本では結婚と子供がこれほど強く結びついているのでしょうか?

Education

　171ページのコラムでは、日本人が日本庭園を庭の外からどのように見ているかについてお話しました。「庭園」と「鑑賞している人」との間には明確な境界線があります。

　同様に、日本では「教師」と「生徒」の間に明確な境界線があるようです。日本の学校では、教師が生徒に講義をして、授業は通常、教師中心で進められることが多いです。教師は黒板や机の近くにいることが多く、生徒とあまり交流しません。学生は机に向かって静かにノートを取っています。彼らはあまり質問もしません。これは、授業中に質問をすることは、教師の説明が不十分で、それにより生徒に質問をするようにさせたという意味を待つため無礼と見なされていた中国の哲学に由来する可能性があります。これは、教師と生徒の境界線がはるかに少ない欧米諸国とは異なります。

　西洋では、教師は学生のアドバイザーとして、サポートが必要なときに手助けして、学習するトピックを学生自身で選択できるようにすることが好まれます。いくつかのヨーロッパの国の教室では、3つまたは4つの大きなテーブルがあり、生徒たちはそこで椅子に座って学習しています。教師は各テーブルを回って、生徒が正しい学習方向で進んでいるか、うまく協力してやっているかなどを確認します。

　私はいつも教師と生徒がキャッチボールのゲームをするようなインタラクティブなアプローチが好きです。学生はみんなでアクティブに活動したほうがよりよく学習できると思います。授業の中でペアや小グループで一緒に作業することは、全ての学生の参加を最大化するための優れた方法です。

　あなたはどんなタイプの授業が好きですか？

日本人のEnglish

97 I bought a <u>NEW</u> car. (強勢)

（私は新しい車を買いました）

　これまで英語の不自然な文や、文法の問題について述べてきました。さて、ここでは強勢について、いくつか見ていきましょう。

　97の文のように、形容詞（new）と名詞（car）を含んでいる場合は、名詞に強勢があります。

I bought a new <u>CAR</u>.

　なぜかというと、名詞のほうがより重要な情報を伝えるからです。

　例えば、誰かが "I bought a new…" と言えば、何を言おうとしているのかわからないでしょう。なぜならnewという語は十分な情報を伝えていないからです。

　もし "I bought a car." と言えば、わかりやすいものになるでしょう。したがって、形容詞／名詞の組み合わせでは、名詞に強勢を置いてください。

　では、"It's very hot." のような副詞／形容詞の組み合わせではどうでしょうか。veryに強勢を置きますか、それともhotでしょうか。どちらの語がより重要な情報を伝えるかを考えてください。

　ある人が "It's very…" と言えば、その意味は不明瞭でしょう。しかし、もし "It's hot." と言えば、その人が言おうとしていることが理解されるでしょう。したがって、副詞／形容詞の組み合わせでは、形容詞に強勢を置きましょう。

It's very <u>HOT</u>.

他にも例を見てみましょう。下線部に強勢を置きます。

私は新しい財布を買いました。
それはとても高価でした。
I bought a new <u>purse</u>. It was very <u>expensive</u>.

すばらしい一日です。
でも、少し湿気があります。
It's a beautiful <u>day</u>. But it's a little <u>humid</u>.

私たちはいい映画を観ました。
それは実におもしろかったです。
We saw a good <u>movie</u>. It was really <u>interesting</u>.

ネイティブのNatural English

I bought a new <u>CAR</u>.

（私は新しい車を買いました）

Drill ❼

英文の強勢を置く箇所に下線を引きましょう。

❶ 私たちは大きな家に住んでいるので、それを維持することは
とても大変です。
**We live in a big house, so maintaining it is really
difficult.**

文の強勢（名詞と代名詞）

日本人のEnglish

�98 <u>CATS</u> like <u>FISH.</u>（強勢）　　○

<u>THEY</u> like it.　　×

　1つ目の文の強勢は正しいものです。英語では、名詞は文の王様です。それは最も重要な情報を伝えるので、たいていはそれに強勢が置かれなければなりません。

　下の2つの文を見てください。

1　**Cats　like　fish.**

2　**They　like　it.**

　文1では、名詞の**Cats**と**fish**に強勢が置かれます。それらが最も重要な情報を伝えるからです。

　一方、文2の**They**や**it**のような代名詞は既出の情報です。つまり、**They**はCats（文1で既に紹介された名詞）のことを言っており、**it**はfish（文1で既に紹介されたもう一つの名詞）のことを言っています。

　したがって、新しい情報を伝えるものである名詞に強勢を置き、既出の情報を伝える代名詞には、強勢を置かないでください。

　文2では、代名詞には強勢が置かれませんので、動詞likeに強勢が置かれます。

　他にも例を見てみましょう。下線部に強勢を置きます。

メアリーは子どもたちを教えます。彼女が彼らを教えています。
<u>Mary</u> teaches <u>kids</u>. She <u>teaches</u> them.

ジョンは千恵子が好きです。彼は彼女のことが好きなんです。
<u>John</u> likes <u>Chieko</u>. He <u>likes</u> her.

フォレスターさん一家が私たちの家を訪れました。
彼らは私たちを訪ねてきてくれました。
The <u>Foresters</u> visited our <u>house</u>.
They <u>visited</u> us.

ネイティブのNatural English

<u>CATS</u> like <u>FISH</u>. ◯

They <u>LIKE</u> it. ◯

Drill ⑨⑧

英文の強勢を置く箇所に下線を引きましょう。

❶ その惑星たちは太陽の周りを回ります。
The planets orbit the sun.

❷ それらがその周りを回ります。
They orbit it.

日本人のEnglish

99 We **CAN'T** stay.（強勢）　　○

We **CAN** stay.　　×

次に、**can**と**can't**についてお話しましょう。

can'tという語は、ほとんど常に強勢が置かれます。一方、**can**はそうではありません。

次の例を見てください。

1　私は、それはできません。／　私は、それをやれます。

　　I can't do it.　　　　　　　　**I can do it.**

2　私たちは、あなたの言うことが聞こえません。

　　We can't hear you.

　　私たちは、あなたの言うことが聞こえます。

　　We can hear you.

3　あなたは勝つことは不可能です。

　　You can't win.

　　あなたは勝つことができます。

　　You can win.

　このように、否定文では助動詞に強勢が置かれ、一方、肯定文では動詞に強勢が置かれます。

　このことが起こる理由は、**can**と**can't**とを音声上で区別することがとても難しいからです。人々は、しばしばcan'tのtを発音しませんので、強勢の違いを抜きにして、どちらを言わんとしているのかを伝えることが難しくなることがあるのです。

　他にも例を見てみましょう。下線部に強勢を置きます。

私は泳げません。／私は泳げます。
　I <u>can't</u> swim.　　**I can <u>swim</u>.**

私はあなたのことを理解できません。
　I <u>can't</u> understand you.
私はあなたのことを理解できます。
　I can <u>understand</u> you.

私たちはそれを成功させることはできません。
　We <u>can't</u> make it.
私たちはそれをうまくやれます。
　We can <u>make</u> it.

---ネイティブのNatural English---

We <u>CAN'T</u> stay. ○
We can <u>STAY</u>. ○

Drill 99

英文の強勢を置く箇所に下線を引きましょう。

❶ 私たちは意思の疎通ができません。
We can't communicate.

❷ 私たちは気持ちを伝え合うことができます。
We can communicate.

日本人のEnglish

⑩ がんばって。

Fight.

「がんばって」と言いたい時に役立つ、日本人にはあまり知られていない表現があります。

Hang in there. (がんばって)

これは、状況が非常に困難に思える時でもあきらめないように誰かに伝える表現です。次の例を見てください。

A: I've been looking for a job for a month, but I haven't found anything yet.
B: Hang in there. I'm sure you'll find something soon.

A：就活してから1ヶ月が経つけど、まだ何も見つかっていないんだ。
B：**がんばって。** きっとそのうち何か見つかるわよ。

C: I have three reports to write for school. They're all due on Monday.
D: The amount of work in the middle of a semester can be overwhelming, but hang in there.

C：学校に出すレポートが3つあるんだ。締め切りが全部、月曜日なのよ。
D：学期の中頃の課題の量には押しつぶされそうになるけど、**がんばれよ。**

"Hang in there." という表現は1970年代にアメリカで生まれたとも言われています。1匹のシャム猫が竹竿にしがみついて、必死に手を離すまいとしている姿を描いたポスターに由来しているとか。

他にも例を見てみましょう。

A: It's not easy living in a big city by myself.
   I feel lonely, and I miss my family back home.
B: I'm sure that you'll make new friends soon. Hang in there.

A：都会での一人暮らしは楽じゃないね。
　　寂しくて故郷の家族が恋しいよ。
B：きっとすぐに新しい友だちができるわ。**がんばって。**

ネイティブのNatural English

Hang in there.

（がんばって）

Drill ⑩

次のような状況にいる人を「がんばって」と励ましましょう。

A：私たちは近頃ほんとに忙しくて、私もいつも疲れているのよ。
B：がんばって。
**A: We're really busy at work these days, so I'm always
   tired.**
B: _____

Language (1)

多くの日本人は、川端康成の長編小説『雪国』（英語タイトル *Snow Country*）を知っているでしょう。

特に冒頭の一文「国境の長いトンネルを抜けると雪国であった。」は、あまりにも有名です。この冒頭は想像力をかき立てます。

まず、トンネルから出て来たのが誰なのか、または何なのかわかりません。多くの人は列車を思い浮かべるでしょうが、車でも馬に乗った人でもよいわけです。この文には主語がないので、トンネルから何が出て来たのかは読者の想像に委ねられます。もしトンネルから出て来たのが列車であるならば、主人公はその列車に乗っていて、窓から雪国を眺めている情景が想像できるでしょう。

私は「雪国」の英訳を読んだとき、冒頭の一文に驚きました。

"The train came out of the long tunnel into the snow country."

原文とは異なり、あまり詩的に感じられませんでした。原文では、何がトンネルから出て来たのか書かれていませんでしたが、英訳では、出て来たのがはっきり列車だと書かれています。読者に想像する余地はありません。さらに、英訳は冠詞であるTheから始まっており、なんとなく事務的で情緒に欠けた印象を受けました。

私の個人的な感想はひとまず置いておいて、この違いは英訳の善し悪しというよりも「2つの言語の根本的な違い」が顕著に表れているよい例です。それは、英語は「主語を明確にしなければならない言語」で、日本語は「主語があいまいでも、もしくは省略されても成り立つ言語」という点です。翻訳者は「雪国」を英訳する際に、何がトンネルから出て来たのか、主語を明確にしなければならなかったのでしょう。

しかし、私が最も驚いたのは「視点の違い」です。英訳では、トンネルから出て来る列車を読者が外側、例えば丘の上から眺めているような視点です。

"The train came out of the long tunnel into the snow country."

原文の視点では、読者は列車の中から雪国を見ています。

「国境の長いトンネルを抜けると雪国であった。」

なぜ視点を変えてしまったのか、なぜ「国境」という言葉を英訳からは省いてしまったのか、翻訳者と話せるのなら質問してみたいです。

Language (2)

英語は、言葉の意味がはっきりした言語です。例えば"I love you."と言えば、誰が誰を愛しているのか明確ですね。

日本語では「好き」や「愛してる」と言うのが普通です。わざわざ「私はあなたを愛してる」と言う必要はありません。この曖昧さや想像力を必要とする点が、日本語の美しさの1つだと思います。

意味の曖昧さが特徴の日本語ですが、反対に厳格な部分もあります。それは、話し手同士の関係が、話す言葉によってある程度定義づけられる点です。

例えば、家族や親しい友人同士が「ですます調」で話すことはあまりありません。「ですます調」は親しさに一定の壁があるため、見知らぬ人や仕事関係者等、相手を問わず、丁寧に話したい時に使われます。親しさだけでなく、上下関係も日本語にとってとても重要な要素です。地位・身分・年齢など様々な上下関係がありますが、敬語はこの関係をはっきりさせます。「曖昧さ」と「厳格さ」を合わせもつ日本語は本当にユニークな言語です。

英語はシンプルです。くだけた言語なので、日本語のように話し手同士の親しさや上下関係をあまり気にしません。

例えば、話し相手が誰であってもyouが使えます。アメリカ大統領に"How are you?"と聞いても全く問題ありません。日本語では「あなた様」や「貴殿」などの「敬語表現」があります。ただ、英語に敬語は全くないというわけではなく、日本語のように細かく複雑な敬語に等しい表現が存在しないというだけで、相手に失礼にならないような丁寧な表現はたくさんあります。

	例　　　　「塩を取ってください。」
〔失礼〕	Pass me the salt.
〔普通〕	Pass me the salt, please.
〔丁寧〕	Could you pass me the salt?
〔とても丁寧〕	Would you mind passing me the salt?

言葉の意味は明確な反面、上下関係はあまり気にしない英語。言葉の意味が曖昧でも成り立つ反面、上下関係には厳格な日本語。日本語と英語はとても対照的です。

Language (3)

　日常的に使われる日本語の中で、うまく英語に訳せない言葉が多くあります。

　まず、「いただきます」。食事を始める際の挨拶です。これを英語に直訳しようとすると"I humbly accept this meal."となりますが、アメリカではこのような言葉は使いません。ただ、信心深い人々は食事の前にお祈りをします。

　もう一つ、うまく英語に訳せない日本語は「おつかれさま」。これは相手の労苦をねぎらう言葉で、職場を退社する時などによく使われます。アメリカの職場では"See you tomorrow."のような挨拶が一般的ですが、「おつかれさま」のニュアンスは全く含まれません。

　そして、様々な場面でよく使われる「よろしくお願いします」。相手に頼み事をする時や、初対面の人と挨拶をする時、また、何かのアナウンスなどの最後の挨拶としても頻繁に耳にします。

　ここに紹介した3つの日本語は、日本で生活をする上で欠かせない言葉ですが、残念ながら英語ではうまく表現できない言葉でもありました。

　ところで、私の一番好きな日本語は「とりあえず」です。初めてこの言葉を聞いた時、なぜだかとても耳に心地よく感じました。この言葉をローマ字で書いてみたところ、その理由がわかりました。「とりあえず」には、5つの母音全てが含まれていました。

toriaezu

　「お願いします」もローマ字にするとonegaishimasuで5つの母音が含まれますが、最後のuはしっかり発音されないので、4つの母音が含まれる語に聞こえます。「とりあえず」以外に5つの母音が含まれる日本語をあなたは知っていますか？

Drillの解答

Drill 1   ❶ Let's try the homework.

          ❷ I want to try learning Spanish.

Drill 2   ❶ play   ❷ do   ❸ go

Drill 3   ❶ Do you like to learn foreign languages?

          ❷ I work at an English school.

Drill 4   ❶ chose   ❷ choose   ❸ chosen

Drill 5   ❶ Don't worry about it.

          ❷ Sure, I don't mind.

Drill 6   ❶ I want a good grade in this class.

          ❷ Do you want a better job?

Drill 7   ❶ I wish I could take a couple of days off next week.

          ❷ I hope I can take a couple of days off next week.

Drill 8   ❶ imagine   ❷ imagine   ❸ image

Drill 9   ❶ I often mistake my aunt's voice for my mother's
          voice.

          ❷ I mistook your message.

Drill 10 ❶ saw   ❷ met   ❸ ran into

Drill 11 ❶ waiting *for*   ❷ look *at*   ❸ say *to*

Drill 12 ❶ John gave Chieko a jacket for Christmas.

          ❷ My dad gave my mom flowers for their anniversary.

Drill 13 ❶ borrow   ❷ lent

Drill 14 ❶ What year did you start university?

          ❷ I'm going to start working at a German company
          soon.

Drill 15 ❶ Let's go shopping.

          ❷ How are you going to go there?

Drill 16 ❶ I'm going to take a trip to South America.

          ❷ Last year, we took a trip to Africa.

          ❸ Have you ever taken a trip to Latin America?

Drill 17 ❶ Let's go back home.

          ❷ How often does your son come back home?

Drill 18 ❶ Japanese high school students are not allowed to put on makeup. / Japanese high school students are not allowed to apply makeup.

Drill 19 ❶ speed up ❷ traffic light

Drill 20 ❶ renovate ❷ renovation ❸ reform

Drill 21 ❶ Did you complain about the price?
❷ Sometimes, patients complain about their doctors.

Drill 22 ❶ Are you on the track and field team?
❷ We are not in the brass band club.

Drill 23 ❶ My father quit his job yesterday.
❷ Have you ever quit a hobby?

Drill 24 ❶ caught ❷ get

Drill 25 ❶ bore ❷ die

Drill 26 ❶ stopped working ❷ broke down

Drill 27 ❶ The 2020 Olympics

Drill 28 ❶ What do you do? ❷ I am a banker.

Drill 29 ❶ Do you have to do a lot of housework every day?

Drill 30 ❶ website ❷ homepage

Drill 31 ❶ × ❷ ○ ❸ ○ ❹ ○ ❺ ○ ❻ ×

Drill 32 How do you spend your free time?

Drill 33 ❶ type of music（またはkind of music、style of music）

Drill 34 ❶ horror movies ❷ romantic comedies

Drill 35 ❶ autograph

Drill 36 ❶ No matter what I do, I can't lose weight.
❷ Did you save money when you were younger?

Drill 37 ❶ Was yesterday your day off?
❷ Tomorrow is our day off.

Drill 38 ❶ daylight saving time
❷ daylight saving time

Drill 39 ❶ room

Drill 40　❶ We are going to sell our condominium and build a house.

❷ I live in a two-story apartment building which has ten units.

Drill 41　❶ What is the most famous department store in Japan?

❷ Do you like Keio department store?

Drill 42　❶ Can I use your restroom/bathroom?

Drill 43　❶ ○　❷ × the City of Nagoya

❸ × the Town of Asahi

❹ × the Village of Tokai　❺ ○

❻ × the City of Hirosaki

❼ × the Town of Hakone

❽ × the Village of Shirakawa

Drill 44　❶ナポリはピザで有名です。

❷ハリウッドはロサンゼルスにある都市です。

Drill 45　❶ in the northern part of　❷ in the south of

Drill 46　❶ Why don't we take the subway?

❷ Are you going to ride your motorcycle today?

Drill 47　❶ freeways, freeways　❷ police car

Drill 48　❶ You have nice clothes. Where do you buy them from?

❷ I usually buy new clothes online.

Drill 49　❶ put on　❷ take off

Drill 50　❶ Every hamburger shop serves French fries, right?

❷ We love French fries, but actually, they're unhealthy for us.

Drill 51　❶ My father is a doctor, and my mother is a homemaker.

❷ Being a homemaker is an important job, because you work for your family.

Drill 52 ❶ chef ❷ cooker
Drill 53 ❶ There are five people in my family.
          ❷ I have three siblings.
          ❸ I'm an only child.
Drill 54 ❶ Hello, Steven. ❷ Good morning, Ms. Smith.
Drill 55 ❶ Your diamond ring is really/so gorgeous.
          ❷ The house is really/so huge.
Drill 56 ❶ buffet-style ❷ all-you-can-eat
Drill 57 ❶ was ❷ had
Drill 58 ❶ confusing, confused
Drill 59 ❶ close ❷ closed
Drill 60 ❶ common ❷ common
Drill 61 ❶ safely ❷ safety ❸ safe
Drill 62 ❶ Much of ❷ Many of ❸ Little of
          ❹ Few of
Drill 63 ❶ a lot of ❷ much ❸ many
Drill 64 ❶ most ❷ Most of
Drill 65 ❶ Almost all ❷ Almost
Drill 66 ❶ hardly ❷ hard
Drill 67 ❶ kindly ❷ kind
Drill 68 ❶ such a ❷ so
Drill 69 not bad   so-so
Drill 70 ❶ at midnight ❷ in the afternoon
          ❸ in the morning ❹ at noon
          ❺ at night ❻ in the evening
Drill 71 ❶ 10:30 at night ❷ 6:30 in the evening
          ❸ 4:00 in the afternoon ❹ 12:00 midnight
Drill 72 ❶ one more week ❷ twenty more yen
          ❸ seven more people ❹ twelve more days
          ❺ three more
Drill 73 ❶ two and a half hours

Drill 74 ❶ on the 2nd ❷ on the 1st ❸ on the 13th
❹ on the 7th ❺ on November 23rd
❻ on March 5th ❼ on May 4th
❽ on October 20th

Drill 75 ❶ once every six months(またはtwice a year)
❷ once every 687 days

Drill 76 ❶ a 50-minute
❷ a two-week

Drill 77 ❶ My son is in the 11th grade.
❷ My daughter is a 1st year university student.

Drill 78 ❶ to

Drill 79 ❶ a high school student
❷ in elementary school

Drill 80 ❶ I have come to Japan many times.
❷ Has Chieko ever been to Lake Como?

Drill 81 ❶ I went to the US two weeks ago.
❷ I didn't eat anything yesterday.

Drill 82 ❶ I had been living in Japan for 12 years when I met Ayumi.
❷ We had been dating for six months when we got married.

Drill 83 ❶ The food had gotten cold by the time we sat down to eat.

Drill 84 ❶ What ❷ feel

Drill 85 3、2、1、4

Drill 86 ❶ In Hawaii, I'm going to take surfing lessons.
❷ My sister is going to go shopping every day.

Drill 87 ❶ You ought not to stay up late.
❷ Should we dress formally for the event?

Drill 88 ❶ Can you meet me in half an hour?
❷ The doctor asked to see me again in three months.

Drill 89   ❶ What did you do on Valentine's Day? /

          What did you do last Valentine's Day?

         ❷ We're going to go to Okinawa on Friday. /

          We're going to go to Okinawa next Friday.

Drill 90   ❶ while   ❷ during

Drill 91   ❶ off   ❷ out of

Drill 92   ❶ with   ❷(2つ目の) to

Drill 93   ❶ care about   ❷ take care of

Drill 94   ❶ Many people go to Las Vegas to gamble, but I go there for the great entertainment.

Drill 95   ❶ It was a good party because many people came.

         ❷ Because it was raining, we stayed home and watched TV.

Drill 96   a, The, a, The

Drill 97   ❶ We live in a big <u>house</u>, so maintaining it is really <u>difficult</u>.

Drill 98   ❶ The <u>planets</u> orbit the <u>sun</u>.   ❷ They <u>orbit</u> it.

Drill 99   ❶ We <u>can't</u> communicate.   ❷ We can <u>communicate</u>.

Drill 100   Hang in there.

著者

スティーブン・ミッチェル（Steven Mitchell）

アメリカのロサンゼルス出身。大学時代に日本人留学生との交流をきっかけに日本
文化に関心をもち、日本語を副専攻して大学を卒業。

ロサンゼルスの音楽学校で講師として働きながら、UCLA などの大学や、ロサンゼ
ルスにあるリトル東京でボランティアとして留学生に英語を教える。リトル東京に
ある風月堂で 2 年半のアルバイトをして日本の文化・伝統・習慣などを学びながら
日本語の勉強を続ける。

2000 年に来日。英会話スクールで講師を務め、企業の語学研修等に携わる。2001
年に語学学校 CHEERS をイギリス人の友人とともに仙台市内に設立。

2004 年より宮城県教育委員会主催の日本人の英語教員のための研修会の運営に携
わる。4 年間にわたり、600 名を超える中学校・高等学校の英語教員の研修を行い、
生徒のコミュニケーションの力を高める授業を展開するための支援を行う。

2010 年に文部科学省検定済の高等学校の英語教科書「ATLANTIS Oral
Communication I」の筆頭著作者として CHEERS より出版。以降、ATLANTIS シリー
ズを出版し、現在も日本各地の公立高等学校、私立高等学校において使用されてい
る。これらの教科書では多くの英語教員に語学学習の新しい取り組み方を提示して
いる。長年にわたる英語の授業を通して、あらゆる年齢層の英語を学ぶ人たちを支援する
とともに、細やかな心配りをもって独自の教授法の開発に努めている。

CHEERS 文化＆英会話のサイト
https://cheers-sendai.jp/

それ、ネイティブ言わないよ！
日本人が間違えやすい英語表現 100

2023 年 9 月 18 日 初版発行

著者	スティーブン・ミッチェル
発行者	石野栄一
発行	明日香出版社
	〒 112-0005 東京都文京区水道 2-11-5
	電話 03-5395-7650
	https://www.asuka-g.co.jp
ブックデザイン	金澤浩二
イラスト	小雨そぉだ
組版	デジタルプレス
印刷・製本	シナノ印刷株式会社